30일 철학공부
한비자(韓非子)

30일 철학공부

한비자(韓非子)

권영민 지음

30일 철학공부: 한비자(韓非子)

발　행 | 2024년 7월 8일
저　자 | 권영민
펴낸이 | 한건희
디자인 | 권영민인문학연구소
펴낸곳 | 주식회사 부크크
출판사등록 | 2014.07.15.(제2014-16호)
주　소 | 서울특별시 금천구 가산디지털1로 119 SK트윈타워 A동 305호
전　화 | 1670-8316
이메일 | info@bookk.co.kr

ISBN | 979-11-410-9362-4

www.bookk.co.kr

서문

어떻게 하면 삶을 더 깊게 이해할 수 있을까요? 어떻게 하면 수많은 선택 앞에서 가장 효과적인 길을 찾아갈 수 있을까요? 이 책은 현대 세계에서 자주 마주하는 삶의 고민과 질문들을 철학적인 시선으로 바라보고자 합니다. "현실을 직시하고 효율적으로 행동하라." 이것이 한비자의 핵심 사상입니다. 중년 철학 시리즈의 다섯 번째 책인 《30일 철학공부: 한비자(韓非子)》는, 한비자의 지혜를 통해 현실을 인식하고, 전략적으로 행동하며, 어려움을 극복하는 방법을 배웁니다.

한비자는 중국 고대의 법가 철학자로서, 《한비자》는 현실적이고 실용적인 철학적 관점과 깊은 통찰력으로 인류에게 가르침을 전하고 있습니다. 그의 메시지는 복잡한 세상 속에서 현실을 직시하고, 효율적이고 전략적으로 행동동하며 살아가는 것입니다. 한비자의 가르침을 통해 우리는 현실을 이해하고, 전략적으로 행동하며, 어려움을 극복하는 방법을 배울 것입니다.

이 책은 30일 동안 여러분과 함께합니다. 이 기간 동안 '자기 이해', '자기 극복', '자기 성장'의 세 가지 주제를 탐구하게 됩니다. 각 주제는 다음과 같이 구성되어 있습니다:

첫 번째는 자기 이해입니다. 여기서는 현실을 객관적으로 인식하고, 자신을 이해하는 과정에 대해 다룹니다. 한비자는 우리에게 현실을 직시하고 이를 기반으로 판단하는 것이 중요하다는 것을 가르칩니다.

두 번째는 자기 극복입니다. 여기서는 어려움과 도전 속에서 자신을 극복하는 방법을 배웁니다. 한비자의 가르침상 속에서 현실을 직시하고, 효율적이고 전략적으로 행을 통해 우리는 현실적인 전략과 실행을 통해 어려움을 극복하는 방법을 배울 것입니다.

세 번째는 자기 성장입니다. 여기서는 전략적으로 행동하며, 자신을 성장시키는 방법에 대해 살펴볼 것입니다. 한비자는 우리에게 상황을 분석하고, 효율적으로 행동하며 목표를 달성하는 방법을 가르칩니다.

이 책은 한비자의 지혜를 통해 더 나은 삶을 살기 위한 통찰력을 얻을 수 있도록 돕습니다. 함께 여행하는 것을 기대합니다. 함께 하시길 바랍니다.

2024년 7월 5일

권영민 드림

CONTENT

2부. 자기 실현

3부. 자기 극복

1부

한비자(韓非子) Insight

자 기 이 해

사람의 지혜는 내 눈썹도 못본다

•
•
•

"사람의 지혜란 눈과 같아 백보 밖은 볼 수 있지만, 자신의 눈썹은 볼 수 없습니다."《한비자, 유로편》

타인에게는 명확한 조언, 자신에게는 혼란스러움

중년에는 다양한 경험을 통해 문제 해결 능력을 키웁니다. 친구나 가족이 문제를 이야기할 때, 우리는 그들에게 명확한 조언을 줍니다. 그러나 자신이 문제에 봉착하면 상황이 달라집니다. 자신의 감정이 얽혀 있기에 객관적인 시각을 유지하기 어려워집니다. 이로 인해 우리는 때로는 가장 단순한 해결책을 놓치고, 문제를 더욱 복잡하게 만듭니다. 직장에서 갈등이나 자녀와의 문제에서 우리는 다른 사람에게는 분명한 해결책을 제시하지만, 정작 자신에게는 그 해결책을 적용하기 어려워합니다.

자신의 문제를 객관적으로 바라보지 못하는 이유는 여러

가지가 있습니다. 첫째, 우리는 자신의 상황에 너무 익숙해져 있어서 문제의 본질을 제대로 인식하지 못할 때가 많습니다. 둘째, 자신의 감정이 얽혀 있어서 이성적으로 판단하기 어렵습니다. 친구가 직장에서 겪는 문제에 대해 조언할 때는 객관적으로 상황을 분석하고 해결책을 제시하지만, 정작 자신이 직장에서 비슷한 문제를 겪으면 감정에 휘말려서 제대로 대처하지 못합니다. 이러한 점에서 우리는 타인의 문제를 쉽게 해결해주는 반면, 자신의 문제에는 제대로 대처하지 못합니다.

과거의 경험에 의한 자기한계 설정

중년은 과거의 경험을 바탕으로 판단을 내리는 경향이 강해집니다. 이는 많은 경우 도움이 되지만, 때로는 새로운 상황에서 자기한계를 설정하게 만드는 장애물이 되기도 합니다. 우리는 과거에 실패한 경험이 있다면 비슷한 상황에서 또다시 실패할 것이라는 두려움에 사로잡히기 쉽습니다. 이로 인해 우리는 새로운 도전에서 물러나거나, 자신의 능력을 과소평가하게 됩니다. 이는 한비자가 말한 "자신의 눈썹을 보지 못하는" 현상의 또 다른 측면입니다.

우리는 자신이 가진 가능성과 능력을 충분히 인식하지 못하고, 과거의 틀에 얽매여 버리는 것입니다.

과거의 경험에 얽매이지 않기 위해서는 자기성찰이 필요합니다. 자신의 과거 경험을 되돌아보고, 그것이 현재의 판단에 어떤 영향을 미치는지 객관적으로 분석해야 합니다. 또한, 과거의 실패를 두려워하지 않고 새로운 도전에 나설 수 있는 용기를 가져야 합니다. 이를 위해서는 긍정적인 마인드와 자기 확신이 필요합니다.

사회적 역할과 책임감의 무게

중년은 사회적 역할과 책임감이 커집니다. 직장에서는 중요한 위치에 오르고, 가정에서는 부모로서 책임을 다해야 합니다. 이러한 역할과 책임감은 때로는 우리의 판단을 흐리게 만들고, 스스로에게 더 큰 압박을 가하게 만듭니다. 우리는 다른 사람들에게 보이는 모습에 신경을 쓰느라 정작 자신의 내면을 돌보는 데 소홀해집니다. 이는 결국 자신의 문제를 객관적으로 바라보지 못하게 만들고, 타인의 시선을 의식한 채로 살아가게 만듭니다. 사회적 역할과 책임감에서 벗어나기 위해서는 자기 관리가 필요합니다. 우리는 자신의 내면을 돌보고, 자신의 감정과 욕구를 이해하려는 노력이 필요합니다. 이를 위해서는 명상이나 운동과 같은 자기 관리 활동이 도움이 됩니다. 또한, 우리는 자신에게 주어진 역할과 책임감을 객관적으로 바라보고, 그것이 우리의 삶에 어떤 영향을 미치는지 분석해야 합니다. 이를 통해 우리는 자신을 더 잘 이해하고, 자신의 문제를 해결하는 데 필요한 지혜를 발휘합니다.

결론

중년은 많은 지혜와 경험을 가지고 있지만, 한비자가 말한 것처럼 정작 자신의 눈썹을 보지 못하는 경우가 많습니다. 이는 타인에게는 명확한 조언을 하면서도 자신에게는 혼란스러움을 느끼는 경우, 과거의 경험에 얽매여 자기 한계를 설정하는 경우, 그리고 사회적 역할과 책임감에 의해 자신의 내면을 돌보지 못하는 경우 등으로 나타납니다. 우리는 자신을 더 잘 이해하고, 자신의 문제를 해결하는 데 필요한 지혜를 발휘할 수 있도록 노력해야 합니다. 중년의 지혜는 타인을 위한 것이 아닌, 자신을 위한 것임을 잊지 말아야 합니다.

의심의 눈초리를 거두게 하는 방법

●
●
●

"활의 명수인 예(羿)가 활을 잘 쏜다는 것을 알고 있었기 때문에 월나라 사람들도 예를 위하여 과녁을 들고 서 있을 수 있었다. 그러나 어린아이가 활을 쏠 때에는 화살이 어느쪽으로 날아올지 모르기 때문에 그의 어머니도 도망칠 것이다. 확실하게 믿을 수 있으면 월나라사람도 예를 의심하지 않고, 확실하게 믿을 수 없으면 어머니도 어린아이를 피한다."《한비자, 설림 하편》

신뢰를 쌓기 위한 꾸준한 노력

믿음은 하루아침에 쌓이지 않습니다. 예가 활을 잘 쏜다는 것을 알고 있는 월나라 사람들은 그의 실력을 신뢰하기 때문에 과녁을 들고 서 있었습니다. 이와 마찬가지로, 타인의 신뢰를 얻기 위해서는 꾸준한 노력이 필요합니다. 이는 성실함과 일관된 행동에서 비롯됩니다. , 직장에서 신뢰는 매일 꾸준히 업무를 수행하고, 약속을 지키는 작은 행동들에서 쌓아집니다. 가족과의 신뢰도 마찬가지입니다. 자녀와의 약속을 지키고, 배우자와의 신의를 저버리지 않는 것이 중요합니다.

신뢰를 쌓기 위해서는 말과 행동이 일치해야 합니다. 말뿐만 아니라 행동으로도 신뢰를 보여주어야 합니다. 사람들은 우리의 행동을 보고 신뢰를 형성하기 때문에, 작은 일에서도 성실하게 행동하는 것이 중요합니다. 신뢰는 작은 일에서부터 시작되어 큰 일로 이어지며, 이를 통해 우리는 타인의 믿음을 얻습니다. 신뢰를 쌓는 데는 시간이 걸리지만, 이를 무너뜨리는 데는 순간이라는 점을 항상 명심해야 합니다.

의사소통의 중요성

의사소통은 신뢰를 쌓는 데 중요한 역할을 합니다. 명확하고 솔직한 의사소통은 오해를 줄이고, 신뢰를 형성하는 데 큰 도움이 됩니다. 직장에서 프로젝트 진행 상황을 명확하게 공유하고, 문제가 발생했을 때 솔직하게 이야기하는 것이 중요합니다. 이는 팀원들 간의 신뢰를 높이고, 협업을 원활하게 합니다. 가정에서도 마찬가지입니다. 배우자나 자녀와의 의사소통이 원활해야 서로의 생각과 감정을 이해할 수 있으며, 이를 통해 신뢰가 쌓입니다.

의사소통은 단순히 말을 잘하는 것이 아닙니다. 듣는 것도 중요한 의사소통의 한 부분입니다. 상대방의 말을 경청하고, 그들의 감정과 생각을 이해하려는 노력이 필요합니다. 이를 통해 우리는 타인과의 관계에서 신뢰를 쌓을 수 있습니다. 또한, 의사소통은 문제를 예방하는 데도 도움이 됩니다. 명확한 의사소통을 통해 우리는 오해와 갈등을 줄일 수 있으며, 이를 통해 신뢰를 쌓을 수 있습니다.

일관성과 투명성

신뢰를 쌓기 위해서는 일관성과 투명성이 필요합니다. 사람들은 일관성 있는 행동을 통해 신뢰를 형성합니다. 예가 매번 정확하게 활을 쏘는 모습을 보였기 때문에 월나라 사람들은 그를 신뢰했습니다. 우리의 삶에서도 일관된 행동과 태도를 유지함으로써 우리는 타인의 신뢰를 얻을 수 있습니다.

투명성도 중요한 요소입니다. 특히 직장이나 조직에서는 투명한 의사결정과 정보 공유가 신뢰를 형성하는 데 큰 도움이 됩니다. 회사의 중요한 결정 사항을 직원들과 투명하게 공유하고, 그 과정에서 발생하는 문제들을 솔직하게 이야기하는 것이 중요합니다. 이를 통해 직원들은 회사의 결정에 대해 신뢰하며, 조직 전체의 신뢰도 높아집니다. 가정에서도 가족 구성원 간의 투명한 의사소통과 정보 공유는 신뢰를 쌓는 데 큰 도움이 됩니다.

결론

중년은 많은 지혜와 경험을 가지고 있지만, 여전히 의심의 눈초리를 거두지 못하는 경우가 많습니다. 이는 꾸준한 노력, 명확한 의사소통, 일관성과 투명성을 통해 극복합니다. 신뢰는 하루아침에 쌓이는 것이 아니며, 작은 일에서도 성실하게 행동하는 것이 중요합니다. 또한, 의사소통을 통해 오해를 줄이고, 타인과의 관계에서 신뢰를 쌓을 수 있습니다. 마지막으로, 일관된 행동과 투명한 정보 공유를 통해 우리는 타인의 신뢰를 얻습니다.

사람은 이익으로 살아간다

"수레를 만드는 사람은 수레를 만들면서 사람들이 부귀해지기를 바라며, 관을 짜는 사람은 관을 만들면서 사람이 요절해 죽기를 바랄 것이다." 《한비자, 비내 편》

인간의 본성과 이익 추구

인간은 본질적으로 자신의 이익을 추구합니다. 이는 생존을 위한 자연스러운 본능이며, 경제적, 사회적, 심리적 차원에서 다양한 형태로 나타납니다. 수레를 만드는 사람은 그의 수레가 사람들에게 유용하길 바라며, 그로 인해 자신의 경제적 이익을 얻기를 바랍니다.

반면, 관을 만드는 사람은 그의 제품이 필요하길 바라며, 그로 인해 자신의 생계를 유지합니다. 이익을 추구하는 것은 그 자체로 도덕적으로 나쁜 것이 아닙니다. 이는 인간의 본능이며, 사회가 발전하는 동력입니다.

자신이 이익을 추구하는 본성을 인식하고 이를 바탕으로 행동해야 합니다. 이는 직장에서의 성과를 올리고, 가족을 부양하며, 개인적인 목표를 이루는 데 도움이 됩니다. 중요한 것은 이 과정에서 다른 사람에게 피해를 주지 않고, 공정하게 이익을 추구하는 것입니다. 이를 통해 우리는 자신의 삶을 풍요롭게 만듭니다.

직업과 역할의 도덕성

수레를 만드는 사람이 인자한 것도 아니고, 관을 만드는 사람이 악한 것도 아닙니다. 이는 사람들이 각자의 직업과 역할을 수행하며, 그 과정에서 자연스럽게 이익을 추구하는 것일 뿐입니다. 우리는 각자의 역할 속에서 최선을 다하며, 이를 통해 사회에 기여합니다.

수레를 만드는 사람은 그의 기술과 노력을 통해 사람들의 삶을 편리하게 만들고, 관을 만드는 사람은 그의 기술과 노력을 통해 사람들의 마지막을 존엄하게 합니다.

이는 각자의 역할 속에서 이익을 추구하는 것의 자연스러움을 보여줍니다. 자신의 직업과 역할을 통해 사회에 기여하고, 이를 통해 이익을 얻는 것을 부끄러워할 필요가 없습니다. 중요한 것은 자신의 역할을 충실히 수행하고, 이를 통해 정당한 이익을 얻는 것입니다. 이를 통해 우리는 자신과 사회에 긍정적인 영향을 미칩니다.

중년의 지혜와 이익 추구

중년은 이익을 추구할 때 더욱 현명해져야 합니다. 단순히 경제적 이익을 넘어, 인간관계와 삶의 질을 포함합니다. 우리는 자신의 이익을 추구하면서도, 타인의 이익을 존중하고, 상호 이익을 추구하는 방향으로 나아가야 합니다.

협력과 공생의 가치를 이해하고, 이를 실천하는 것입니다. 중년의 지혜는 이익을 추구하면서도, 도덕적 기준을 유지하고, 공정성을 지키는 데 있습니다. 우리는 자신의 이익을 추구하는 과정에서 타인의 권리를 침해하지 않으며, 상호 이익을 추구하는 방향으로 행동해야 합니다. 이를 통해 우리는 자신과 타인의 삶을 더욱 풍요롭게 만듭니다.

결론

사람은 본질적으로 이익을 추구하며 살아갑니다. 이는 자연스러운 본능이며, 사회가 발전하는 동력입니다. 수레를 만드는 사람과 관을 만드는 사람의 비유는 우리가 각자의 역할을 수행하며, 그 과정에서 이익을 추구하는 것의 자연스러움을 보여줍니다. 중년은 이러한 본성을 인식하고, 이를 바탕으로 자신의 삶을 설계해야 합니다.

이익을 추구하는 것은 그 자체로 나쁜 것이 아니며, 중요한 것은 이를 어떻게 추구하느냐에 달려 있습니다. 우리는 자신의 이익을 추구하면서도, 타인의 권리를 존중하고, 공정성을 지키며, 상호 이익을 추구하는 방향으로 나아가야 합니다. 이를 통해 우리는 자신과 타인의 삶을 더욱 풍요롭게 만듭니다

인간은 이익 앞에 눈이 어두워진다

•
•
•

"장어는 뱀과 닮았고 누에는 나비 유충과 닮았다. 사람들은 뱀을 보면 소스라치게 놀라고, 나비 유충을 보면 질색하며 피한다. 그런데 어부는 장어를 맨손으로 잡고, 비단 짜는 부녀자는 누에를 아무렇지 않게 집는다. 이익 앞에서는 누구나 대단한 용기 있는 사람이 된다." 《한비자, 설림 하편》

이익이 판단을 흐리게 하는 현상

인간은 본능적으로 자신의 이익을 추구합니다. 이는 생존을 위한 자연스러운 반응이지만, 때로는 이익을 추구하는 과정에서 우리의 판단이 흐려지기도 합니다. 장어를 잡는 어부와 누에를 집는 비단 짜는 부녀자의 비유에서 알 수 있듯이, 이익을 얻기 위해 우리는 평소에는 두려워하거나 피하는 것들을 기꺼이 받아들입니다.

경제적 이익, 사회적 지위, 개인적인 성취 등 다양한 형태로 나타납니다. 직장에서 승진이나 보너스를 위해 과도한 업무를 맡거나, 심지어 비윤리적인 행동을 합니다. 이러한 행동은 단기적으로는 이익을 가져다주지, 장기적으로는 우리의 평판과 도덕적 기준에 부정적인 영향을 미칩니다 이익을 추구하는 과정에서 우리는 자신의 가치와 신념을 잊어버리기 쉽습니다. 이는 결국 우리의 삶의 질을 떨어뜨리고, 후회로 남습니다.

이익이 인간관계에 미치는 영향

이익을 추구하는 과정에서 인간관계도 영향을 받습니다. 사람들은 때로는 자신의 이익을 위해 타인을 이용하거나 배신하기도 합니다. 이는 친구, 가족, 동료 간의 신뢰를 무너뜨릴 수 있으며, 장기적으로는 인간관계를 파괴합니다.

인간관계에서 신뢰와 정직은 매우 중요하지만, 이익을 우선시하는 행동은 이러한 가치를 훼손할 수 있습니다. , 사업에서 성공하기 위해 친구나 가족을 속이거나, 동료를 경쟁에서 밀어내는 행동은 일시적인 성공을 가져오지만, 결국에는 신뢰를 잃게 됩니다. 우리가 소중히 여기는 인간관계를 파괴하고, 외로움과 고립을 초래할 수 있습니다.

중년은 이러한 경험을 통해 인간관계의 중요성을 깨닫고, 이익을 추구하는 과정에서도 정직과 신뢰를 유지하려는 노력이 필요합니다.

이익 추구와 도덕적 기준의 유지

이익을 추구하는 것은 자연스러운 일이지만, 중요한 것은 이를 어떻게 추구하느냐에 달려 있습니다. 우리는 도덕적 기준을 유지하면서도 이익을 추구하는 방법을 찾아야 합니다. 이는 공정하고 윤리적인 방식으로 이익을 얻는 것을 의미합니다. 정직한 비즈니스 관행, 공정한 경쟁, 타인에 대한 배려 등을 통해 우리는 도덕적 기준을 지키면서도 성공을 거둡니다.

중년은 이러한 균형을 유지하는 것이 얼마나 중요한지를 깨닫게 됩니다. 이익을 추구하는 과정에서 자신의 가치와 신념을 지키고, 도덕적 기준을 유지해야 합니다. 이는 마음의 평화를 유지하고, 진정한 성공을 이루는 데 도움이 됩니다. 또한, 도덕적 기준을 지키는 것은 장기적으로 우리의 평판과 신뢰를 유지하는 데 중요한 역할을 합니다.

결론

인간은 이익 앞에서 눈이 어두워지기 쉽습니다. 이는 우리의 본성 중 하나이며, 이를 인식하고 조절하는 것이 중요합니다. 이익이 판단을 흐리게 하는 현상, 인간관계에 미치는 영향, 그리고 도덕적 기준의 유지라는 세 가지 측면에서 우리는 이익을 추구하는 과정에서 주의해야 할 점을 배웁니다.

중년은 이러한 교훈을 바탕으로, 이익을 추구하면서도 자신의 가치와 신념을 지키고, 도덕적 기준을 유지해야 합니다. 이를 통해 우리는 진정한 성공과 행복을 이루고, 더 나은 인간관계를 유지합니다.

인간은 상황의 산물이다

•
•
•

"옛날, 모두가 재물에 집착하지 않았던 것은 생각이 깊었기 때문이 아니다. 사람 수보다 재물이 많았기 때문이다. 현재, 모두가 다툼에 전념하는 것은 인품이 낮기 때문이 아니다. 사람 수보다 재물이 적기 때문이다. 옛날, 천자의 지위를 담박하게 넘겨주었던 것은 인덕이 높았기 때문이 아니다. 그 지위에 권세가 없었기 때문이다. 현재, 낮은 관직조차 쟁탈전이 일어나는 것은 인품이 낮기 때문이 아니라 그 지위에 권세가 중하기 때문이다." 《한비자, 오두 편》

재물과 인간의 본성

옛날에는 사람 수보다 재물이 많았기 때문에 사람들이 재물에 집착하지 않았습니다. 이는 사람들이 생각이 깊어서가 아니라 상황이 그렇게 만들었기 때문입니다. 반면, 현재는 재물이 부족하여 사람들이 재물에 집착하고 다툼에 전념하게 되었습니다. 이는 인품이 낮아서가 아니라 상황이 그렇게 만든 것입니다. 인간은 기본적으로 자신의 생존과 번영을 위해 재물을 추구합니다. 이는 자연스러운 본능이며, 이를 비난할 수 없습니다.

그러나 중년에 재물에 대한 집착이 우리 삶을 얼마나 빈곤하게 만드는지 깨닫게 됩니다. 재물의 부족은 우리를 끊임없는 경쟁과 다툼으로 몰아넣으며, 이는 결국 자신의 정신적, 정서적 안정을 해칩니다. 우리는 재물에 대한 집착에서 벗어나, 자신의 삶을 보다 풍요롭게 만들기 위해 노력해야 합니다. 이는 재물의 양이 아니라, 우리가 그것을 어떻게 활용하느냐에 달려 있습니다.

권세와 인간의 본성

옛날에는 천자의 지위에 권세가 없었기 때문에 사람들이 그 지위를 담박하게 넘겨주었습니다. 이는 인덕이 높아서가 아니라 상황이 그렇게 만들었기 때문입니다. 현재는 낮은 관직조차 쟁탈전이 일어납니다. 이는 인품이 낮아서가 아니라 그 지위에 권세가 중하기 때문입니다. 권세는 인간의 욕망을 자극하며, 이는 우리가 더 높은 지위를 추구하게 만듭니다. 인간은 본능적으로 권력을 원하며, 이를 통해 자신의 영향력을 확대하려 합니다.

중년은 권세의 유혹을 인식하고, 이를 어떻게 다룰 것인지 고민해야 합니다. 권세는 우리의 삶을 풍요롭게 만들 수 있지만, 동시에 우리의 본성을 왜곡시킵니다. 권세를 추구하는 과정에서 자신의 가치와 신념을 잃을 위험이 있습니다. 우리는 권세를 도구로 사용하여, 이를 통해 더 많은 사람들에게 긍정적인 영향을 미쳐야 합니다. 권세는 목적이 아니라 수단이어야 하며, 이를 통해 우리는 더 나은 사회를 만들어 나가야 합니다.

상황에 따른 인간의 행동

인간은 기본적으로 상황의 영향을 받습니다. 이는 우리의 본성이 약함을 반영합니다. 인간은 상황에 따라 행동하며, 이때 자신의 본성을 드러냅니다. 재물이 많으면 우리는 관대해지고, 재물이 부족하면 우리는 집착하게 됩니다. 권세가 약하면 우리는 겸손해지고, 권세가 강하면 우리는 오만해집니다. 이는 우리의 본성이 약함을 보여주며, 우리는 이러한 본성을 인식하고 이를 조절해야 합니다.

중년은 상황에 따라 자신의 행동을 조절하는 지혜를 가져야 합니다. 이는 우리의 본성을 인식하고, 이를 바탕으로 상황에 적절하게 대응하는 것을 의미합니다. 자신의 본성을 부정하지 않으면서도, 이를 통해 더 나은 삶을 살아갈 수 있습니다. 상황은 우리의 행동을 결정짓지만, 이를 통해 자신의 본성을 이해하고, 이를 조절하는 능력을 길러야 합니다.

결론

인간은 상황의 산물입니다. 이는 본성의 약함을 반영하며, 우리는 이를 인식하고 조절해야 합니다. 재물과 권세는 자신의 본성을 자극하며, 이는 우리가 상황에 따라 행동하게 만듭니다.

재물에 대한 집착에서 벗어나, 자신의 삶을 보다 풍요롭게 만들기 위해 노력해야 합니다. 권세의 유혹을 인식하고, 이를 통해 더 많은 사람들에게 긍정적인 영향을 미칠 수 있어야 합니다. 상황에 따라 자신의 행동을 조절하는 지혜를 가져야 하며, 이를 통해 더 나은 삶을 살아갈 수 있습니다.

주도권을 함부로 넘기지 말라

•
•
•

"무릇 호랑이가 개를 복종시킬 수 있는 까닭은 발톱과 이빨을 지녔기 때문이다. 만일 호랑이에게서 발톱과 이빨을 떼어 개로 하여금 사용하게 한다면 호랑이가 도리어 개에게 복종할 것이다." 《한비자, 이병편》

주도권의 중요성 인식

주도권은 우리 삶에서 매우 중요한 역할을 합니다. 이는 단순히 권력이나 힘을 의미하는 것이 아니라, 자신의 삶을 통제하고 방향을 결정하는 능력을 의미합니다. 주도권을 가진 사람은 자신의 삶을 스스로 개척할 수 있으며, 타인의 영향에 휘둘리지 않습니다. 이는 자존감과 자율성을 유지하는 데 필수입니다.

중년에는 다양한 경험을 통해 주도권의 중요성을 깨닫게

됩니다. 직장에서의 위치, 가정에서의 역할, 사회적 관계에서의 영향력 등 모두 주도권과 관련이 있습니다. 주도권을 잃으면 우리는 타인의 결정에 의존하게 되고, 이는 우리 삶을 혼란스럽게 만들 수 있습니다. 주도권을 지키는 것은 우리가 원하는 삶을 살아갈 수 있도록 도와줍니다. 우리는 주도권을 통해 자신의 인생 목표를 설정하고, 이를 달성하기 위해 필요한 자원을 효과적으로 활용할 수 있습니다.

주도권을 유지하는 방법

주도권을 유지하기 위해서는 자신에게 필요한 도구와 자원을 확보하는 것이 중요합니다. 이는 호랑이의 발톱과 이빨처럼 우리의 힘과 능력을 의미합니다. 우리는 자신의 강점을 인식하고, 이를 강화해야 합니다. 이는 교육, 기술 습득, 네트워크 구축 등을 통해 이루어질 수 있습니다. 또한, 우리는 자신에게 필요한 자원을 관리하고, 이를 효율적으로 사용할 수 있는 능력을 길러야 합니다.

주도권을 유지하기 위해서는 타인과의 관계에서도 균형을 유지해야 합니다. 우리는 타인의 의견을 존중하고, 협력할 수 있는 능력을 길러야 합니다. 그러나 이는 주도권을 넘기는 것이 아니라, 서로의 주도권을 존중하면서 협력하는 것을 의미합니다. 우리는 자신의 주도권을 지키면서도, 타인과 협력하여 더 큰 성과를 이룹니다.

주도권을 잃지 않기 위한 경계

주도권을 잃지 않기 위해서는 항상 경계해야 합니다. 이는 우리가 자신의 주도권을 넘기지 않도록 주의하는 것을 의미합니다. 우리는 타인의 유혹이나 압력에 굴복하지 않고, 자신의 원칙과 가치를 지켜야 합니다. 이는 우리의 주도권을 지키는 데 중요한 역할을 합니다. 우리는 자신이 주도권을 잃을 위험이 있는 상황을 인식하고, 이를 피하거나 대처하는 능력을 길러야 합니다.

중년은 주도권을 지키기 위해 자신의 삶을 지속적으로 점검해야 합니다. 이는 우리의 목표와 우선순위를 재정립하고, 자신의 삶을 다시 한 번 돌아보는 것을 의미합니다. 우리는 주도권을 잃지 않기 위해 지속적으로 노력하고, 이를 통해 자신의 삶을 더욱 풍요롭게 만들어야 합니다. 주도권을 지키는 것은 우리의 삶을 주체적으로 살아가는 데 필수입니다.

결론

주도권은 삶에서 매우 중요한 요소입니다. 이는 자존감과 자율성을 유지하고, 자신이 원하는 삶을 살아가는 데 필수적인 역할을 합니다. 우리는 주도권을 지키기 위해 자신의 강점을 강화하고, 필요한 도구와 자원을 확보해야 합니다. 또한, 타인과의 관계에서 균형을 유지하면서도, 자신의 주도권을 넘기지 않도록 주의해야 합니다. 주도권을 잃지 않기 위해 지속해서 경계하고, 자신의 삶을 점검하는 것은 중년의 지혜입니다.

세 사람이면 없는 호랑이도 만든다

•
•
•

방공은 태자와 함께 한단에 인질로 가게 됐다. 그는 위나라 왕에게 물었다. "지금 어떤 한 사람이 시장에 호랑이가 있다고 말하면, 왕께서는 그것을 믿겠습니까?" 왕이 대답했다. "믿지 않소." "두 사람이 시장에 호랑이가 있다고 말하면, 왕께서는 믿겠습니까?" 왕이 말했다. "믿지 않소." "세 사람이 시장에 호랑이가 있다고 말하면 믿겠습니까?" 왕이 말했다. "과인은 믿을 것이오." 방공이 말했다. "시장에 호랑이가 나타나지 않을 것은 분명합니다. 그런데도 나타났다고 세 사람이 말하자 호랑이가 나타난 것으로 됐습니다."《한비자, 내저설 상편》

소문의 힘과 인간 심리

소문은 인간 심리에 강력한 영향을 미칩니다. 한 사람이 시장에 호랑이가 있다고 하면 믿지 않지만, 세 사람이 말하면 믿게 되는 것은 인간의 본성입니다. 우리는 다른 사람들의 의견과 행동에 쉽게 영향을 받으며, 특히 가까운 사람들의 말에 더 큰 신뢰를 부여합니다. 이는 소문이 우리의 인식과 행동을 얼마나 쉽게 조작할 수 있는지를 보여줍니다.

중년이 되면서 우리는 다양한 경험을 통해 소문의 힘을 자주 경험하게 됩니다. 소문은 진실 여부와 상관없이 빠르게 퍼지며, 우리의 평판과 인간관계에 큰 영향을 미칩니다. 소문은 우리의 판단력을 흐리게 하고, 때로는 불필요한 갈등과 오해를 초래합니다. 특히, 가까운 사람들로부터 퍼지는 소문은 우리에게 더 큰 충격을 주고, 신뢰를 무너뜨립니다.

가까운 사람들의 영향력

가까운 사람들은 우리 삶에 큰 영향을 미칩니다. 가족, 친구, 동료 등 가까운 사람들의 의견과 행동은 우리의 결정과 행동에 직접적인 영향을 미칩니다. 방공이 위나라 왕에게 경고한 것처럼, 가까운 사람들이 퍼뜨리는 소문과 의견은 우리의 인식과 판단을 왜곡시킵니다. 이는 우리가 잘

못된 결정을 내리게 하거나, 불필요한 갈등에 휘말리게 만듭니다.

중년은 가까운 사람들의 영향력을 인식하고, 이를 현명하게 관리해야 합니다. 이는 무조건적인 신뢰나 의심을 피하고, 균형 있는 관점을 유지하는 것을 의미합니다. 우리는 가까운 사람들의 의견을 존중하되, 이를 비판적으로 수용할 수 있는 능력을 길러야 합니다. 또한, 가까운 사람들과의 의사소통을 통해 오해와 갈등을 최소화하고, 신뢰를 유지하는 것이 중요합니다.

자신을 지키는 방법

가까운 사람들의 영향력에서 자신을 지키기 위해서는 몇 가지 전략이 필요합니다. 첫째, 자신의 가치와 원칙을 명확히 하고, 이를 기반으로 한 결정을 내리는 것이 중요합니다. 이는 우리 판단력을 강화하고, 외부의 영향에 휘둘리지 않도록 도와줍니다. 둘째, 우리는 다양한 관점을 수용하고, 이를 통해 균형 있는 판단을 내립니다. 이는 시야를 넓히고, 더 나은 결정을 내리는 데 도움이 됩니다. 셋째, 우리는 가까운 사람들과의 의사소통을 강화하여 오해와 갈등을 최소화해야 합니다. 이는 우리의 신뢰를 강화하고, 관계를 개선하는 데 중요한 역할을 합니다. 마지막으로, 자신의 감정과 생각을 주기적으로 점검하고, 이를 통해 자신의 상태를 파악하는 것이 중요합니다. 이는 정신적 안정을 유지하고, 외부의 영향에 휘둘리지 않도록 도와줍니다.

중년은 이러한 전략을 통해 가까운 사람들의 영향력에서 자신을 지키고, 자신의 삶을 주체적으로 살아갑니다. 이는 삶을 더 의미 있고 풍요롭게 만드는 데 중요한 역할을 합니다.

결론

세 사람이면 호랑이도 만든다는 말은, 가까운 사람들의 말과 행동이 우리의 삶에 얼마나 큰 영향을 미치는지를 잘 보여줍니다. 우리는 소문의 힘을 인식하고, 가까운 사람들의 영향력을 현명하게 관리해야 합니다. 이를 위해 자신의 가치와 원칙을 명확히 하고, 다양한 관점을 수용하며, 의사소통을 강화하는 것이 중요합니다.

공정함은 솔선수범으로 지켜야 한다

•
•
•

"법률의 조문은 상대의 지위가 높다고 해서 굽히지 않는다. 선을 긋는 자는 상대가 구부러졌다고 해서 그에 맞추어 구부리지 않는다. 일단 법이 적용되면 지혜로운 사람이라도 말로써 도망갈 수 없고, 용맹한 사람이라도 저항할 수 없다. 죄를 벌함에는 중신이어도 피할 수 없고, 선행은 서민이라도 빠짐없이 상을 준다." 《한비자, 유도편》

공정함의 중요성 인식

공정함은 사회의 기초를 형성하는 중요한 요소입니다. 이는 모든 사람들이 동일한 기준에 따라 평가되고 대우받는 것을 의미합니다. 공정함이 지켜지지 않으면 사회는 불신과 혼란에 빠지게 됩니다. 한비자가 언급한 것처럼, 법률은 지위가 높은 사람에게도 굽히지 않아야 하며, 이를 통해 사회의 질서를 유지합니다. 공정함은 사회적 신뢰를 형성하는 데 필수입니다.

중년에는 다양한 경험을 통해 공정함의 중요성을 깨닫게 됩니다. 이는 직장에서 승진, 사회적 관계, 가정 내의 역할 분담 등 모든 측면에서 나타납니다. 공정함이 지켜질 때, 사람들은 자신의 노력과 능력에 따라 평가받으며, 이는 개인의 성장을 촉진합니다. 우리는 공정함을 통해 서로 신뢰할 수 있으며, 그 결과 공동체의 결속을 강화합니다. 공정함은 단순히 법률의 문제를 넘어, 우리의 일상생활에서도 중요한 가치로 자리 잡아야 합니다.

공정함을 지키기 위한 솔선수범

공정함을 지키기 위해서는 개인의 솔선수범이 필요합니다. 이는 자신의 이익이나 지위를 이용해 공정함을 훼손하지 않는 것을 의미합니다. 자신이 속한 조직이나 공동체에서 공정한 기준을 세우고, 이를 따르는 모범을 보여야 합니다. 이는 단순히 말로만 하는 것이 아니라, 실제 행동으로 보여주어야 합니다. 한비자가 언급한 것처럼, 법이 적용되면 누구도 예외가 없듯이, 우리의 행동에서도 예외가 없어야 합니다.

솔선수범은 공정함을 지키는 가장 강력한 방법입니다. 자신의 행동을 통해 다른 사람들에게 공정함의 중요성을 보여줍니다. , 직장에서 우리는 공정한 인사 평가를 통해 직원들의 신뢰를 얻으며, 가정에서는 공정한 역할 분담을 통해 가족 간의 신뢰를 쌓습니다. 솔선수범은 공정한 사회를 만드는 데 중요한 역할을 합니다. 이는 우리가 공정함을 단순히 말로만 외치는 것이 아니라, 실제로 행동으로 보여주어야 한다는 것을 의미합니다.

사적 영향력의 경계

공정함을 지키기 위해서는 사적 영향력을 경계해야 합니다. 이는 자신의 권력이나 지위를 이용해 공정한 기준을 왜곡하지 않는 것을 의미합니다. 우리는 공정함을 훼손하는 사적 영향력의 유혹에 굴복하지 않아야 합니다. 이는 직장에서의 권력 남용, 사회적 관계에서의 부당한 혜택, 가정 내에서 불공정한 대우 등 다양한 형태로 나타날 수 있습니다. 우리는 이러한 유혹에 굴복하지 않고, 공정한 기준을 지켜야 합니다.

사적 영향력을 경계하는 것은 공정함을 지키는 데 중요

한 역할을 합니다. 우리는 자신의 권력이나 지위를 이용해 공정함을 훼손하지 않도록 주의해야 합니다. 직장에서 우리는 자신의 지위를 이용해 부당한 혜택을 받지 않아야 하며, 사회적 관계에서도 공정한 기준을 유지해야 합니다. 사적 영향력을 경계하는 것은 공정한 사회를 만드는 데 중요한 역할을 합니다. 우리가 공정함을 지키기 위해 끊임없이 자신을 돌아보고, 사적인 이익에 휘둘리지 않도록 주의해야 한다는 것을 의미합니다.

결론

한비자가 언급한 법률의 조문과 선 긋기의 비유는 공정함이 어떻게 유지되어야 하는지를 잘 보여줍니다. 우리는 공정함을 지키기 위해 자신의 행동을 끊임없이 점검하고, 사적 영향력의 유혹에 굴복하지 않도록 주의해야 합니다. 이를 통해 우리는 신뢰와 결속을 강화하고, 더 나은 사회를 만들어 나갈 수 있습니다. 공정함은 우리의 삶을 더욱 의미 있고 풍요롭게 만드는 데 중요한 역할을 합니다.

먼 바닷물로는 눈 앞의 불을 못끈다

•
•
•

여서는 왕 목공에게 말했다. "바다에서 물을 길어다 불을 끄려고 한다면, 바닷물이 아무리 많더라도 불은 반드시 끄지 못할 것이니 멀리 있는 물로는 가까이 있는 불을 끌 수 없습니다."《한비자, 설림 상편》

위기 대처 능력의 중요성

위기 상황은 언제나 예기치 않게 찾아옵니다. 우리는 이러한 상황에 대비하기 위해 평소에 자신의 능력을 강화해야 합니다. 여기에는 문제 해결 능력, 의사 결정 능력, 그리고 정신적 강인함을 포함합니다. 중년은 다양한 삶의 경험을 통해 많은 것을 배웠지만, 이를 실제로 적용할 수 있는 능력을 갖추는 것이 중요합니다. 우리는 스스로를 최후의 보루로 삼아야 하며, 평소에 꾸준히 준비해야 합니다.

위기 상황에서 우리는 자신에게 의존해야 합니다. 이는 우리의 자존감과 자신감을 높이는 데 중요한 역할을 합니다. 우리는 외부의 도움에 의존하기보다는, 스스로 문제를 해결할 수 있는 능력을 길러야 합니다. 우리 삶을 더욱 주체적으로 만들고, 어려운 상황에서도 흔들리지 않는 강인함을 제공합니다. 자신이 최후의 보루임을 인식하고, 이를 위해 지속적으로 자기 계발에 힘써야 합니다.

평상시 능력을 갖추는 방법

자신을 최후의 보루로 만들기 위해서는 평상시에 꾸준한 노력과 준비가 필요합니다. 첫째, 우리는 지속적인 학습과 자기 계발을 통해 자신의 능력을 강화해야 합니다. 이는 새로운 지식과 기술을 습득하고, 변화하는 환경에 대응하는 능력을 기르는 것을 의미합니다. 우리는 평생 학습의 자세를 유지하며, 자신의 전문성을 끊임없이 발전시켜야 합니다. 둘째, 우리는 건강을 유지하고, 신체적, 정신적 강인함을 기르는 데 힘써야 합니다. 건강은 기본적인 자산이며, 이를 유지하는 것이 중요합니다. 규칙적인 운동과 건강한 식습관, 그리고 충분한 휴식은 신체적 능력을 강화하고, 스트레스를 관리하는 데 도움이 됩니다.

셋째, 우리는 인간관계를 구축하고, 이를 통해 다양한 지원 체계를 마련해야 합니다. 가족, 친구, 동료와 건강한 관계는 삶을 풍요롭게 만들고, 위기 상황에서 든든한 지원이 됩니다. 우리는 상호 신뢰와 존중을 바탕으로 한 인간관계를 구축하며, 이를 통해 자신의 능력을 더욱 강화할 수 있습니다. 이러한 준비는 위기 상황에서 스스로를 지키는 힘을 제공합니다.

자신의 한계를 인식하고 개선하기

자신을 최후의 보루로 만들기 위해서는 자신의 한계를 인식하고 이를 개선하려는 노력이 필요합니다. 우리는 자신의 강점과 약점을 객관적으로 평가하고, 이를 바탕으로 자신의 능력을 향상시켜야 합니다. 첫째, 자신의 약점을 보완하기 위해 필요한 기술과 지식을 습득해야 합니다. 이는 자기 계발을 통해 이루어질 수 있으며, 끊임없는 학습과 연습을 통해 가능해집니다.

둘째, 우리는 피드백을 적극적으로 받아들이고, 이를 바탕으로 자신의 행동을 개선해야 합니다. 주변 사람들의 피드백은 우리가 인식하지 못했던 문제를 발견하고, 이를 개선하는 데 중요한 역할을 합니다. 우리는 열린 마음으로 피드백을 받아들이고, 이를 통해 자기 능력을 발전시켜야 합니다. 셋째, 우리는 실패를 두려워하지 않고, 이를 통해 배우는 자세를 가져야 합니다. 실패는 우리의 성장 과정에서 중요한 부분이며, 이를 통해 더 강해지고, 더 나은 결정을 내립니다. 우리는 실패를 두려워하지 않고, 이를 통해 배우며, 자신의 능력을 향상시키는 기회로 삼아야 합니다.

결론

중년에는 먼 바닷물로 불을 끌 수 없듯이, 외부의 도움에만 의존해서는 안 됩니다. 위기 상황은 언제나 예기치 않게 찾아옵니다. 우리는 이러한 상황에 대비하여 스스로 준비하고, 평상시에 필요한 능력을 갖추어야 합니다. 이를 통해 자신을 최후의 보루로 만들고, 어떠한 상황에서도 흔들리지 않는 강인함을 유지합니다. 중년은 이러한 교훈을 바탕으로 자신의 삶을 주체적으로 살아가야 하며, 더 나은 미래를 향해 나아가야 합니다.

진실은 고난으로 증명된다

•
•
•

"초나라 화씨(和氏)가 옥돌을 발견해 여왕에게 바쳤다. 옥을 다듬는 사람이 돌이라고 해서 왼쪽 발을 잘랐다. 여왕이 죽고 무왕이 즉위하자 화씨는 그 옥돌을 바쳤다. 그러나 마찬가지로 돌이라는 감정으로 오른쪽 발을 자랐다. 무왕이 죽고 문왕이 즉위하자 사흘 밤낮으로 울었고, 그 소식을 듣고 그 까닭을 물었다. 그러나 화씨가 말했다. "저는 발이 잘려서 슬퍼하는 것이 아닙니다. 보옥을 돌이라 하고 정직한 인사를 거짓말쟁이로 몰아 벌을 내린 것이 슬픕니다. 이것이 제가 슬퍼하는 까닭입니다." 그러자 왕은 옥 다듬는 사람에게 그 옥을 다듬게 해 훌륭한 보배를 얻었다." 《한비자, 화씨편》

진실의 가치와 고난

진실은 소중한 가치입니다. 그러나 진실을 지키는 일은

종종 큰 고난을 수반합니다. 화씨의 경우, 두 번이나 발이 잘리는 고통을 겪었습니다. 이는 큰 희생이 필요하다는 점을 보여줍니다. 중년에 이르러 다양한 경험을 통해 진실의 가치를 깨닫게 됩니다. 진실은 우리의 삶의 기반이며, 이를 지키는 것은 자존감과 신뢰를 유지하는 데 필수입니다.

고난은 진실을 증명하는 과정에서 중요한 역할을 합니다. 어려운 상황에서도 진실을 고수함으로써 자신의 신념을 증명할 수 있습니다. 이는 우리의 삶을 더욱 의미 있고 가치 있게 만듭니다. 고난을 통해 진실의 중요성을 더욱 깊이 깨닫고, 이를 지키기 위한 의지를 다지게 됩니다. 진실을 지키는 것은 단순한 말이 아니라, 우리의 행동과 선택을 통해 증명됩니다.

인내의 중요성

진실을 지키기 위해서는 인내가 필요합니다. 인내는 고난을 견디며 자신의 신념을 지키는 능력입니다. 화씨는 발이 잘리는 고통 속에서도 진실을 지켰고, 결국 문왕에 의해 그 진실이 인정받게 되었습니다. 인내는 우리의 삶에서 중요한 덕목이며, 이를 통해 우리는 자신의 가치를 증명할 수 있습니다.

인내는 단순히 고통을 견디는 것을 넘어, 그 과정에서 자신의 신념을 유지하는 것을 의미합니다. 우리는 어려운 상황에서도 원칙과 가치를 지키기 위해 노력해야 합니다. 이는 우리의 삶을 더욱 주체적으로 만들고, 타인으로부터 존경을 받게 합니다. 인내는 우리의 내면을 강하게 만들며, 이를 통해 우리는 더 큰 성취를 이룹니다.

인내는 또한 삶을 더욱 의미 있게 만듭니다. 우리는 고난을 통해 성장하고, 이를 통해 더 큰 목표를 달성할 수 있습니다. 인내를 통해 자신의 한계를 극복하고, 새로운 가능성을 발견할 수 있습니다. 이는 우리의 삶을 더욱 풍요롭게 만드는 데 중요한 역할을 합니다.

고난을 극복하는 방법

고난을 극복하기 위해서는 몇 가지 전략이 필요합니다. 첫째, 목표와 가치를 명확히 하고, 이를 위해 노력해야 합니다. 이는 우리의 의지를 강화하고, 어려운 상황에서도 흔들리지 않게 도와줍니다. 둘째, 긍정적인 태도를 유지하며, 고난을 성장의 기회로 삼아야 합니다. 고난은 도전과제를 던지지만, 이를 통해 더욱 강해집니다. 긍정적인 태도는 우리의 마음을 강하게 만들고, 어려운 상황에서도 희망을 잃지 않게 도와줍니다. 셋째, 지지와 격려를 받을 수 있는 사람들과 함께 해야 합니다. 가족, 친구, 동료와 같은 사람들의 지지는 인내를 돕고, 고난을 극복하는 데 큰 힘이 됩니다. 우리는 서로를 지지하며, 함께 어려운 상황을 이겨낼 수 있습니다. 이는 인간관계를 더욱 강화하고, 삶을 더욱 풍요롭게 만듭니다.

결론

중년은 진실을 지키기 위해 고난을 인내하는 중요성을 깊이 이해해야 합니다. 화씨의 이야기는 진실이 고난을 통해 증명되는 과정을 잘 보여줍니다. 진실은 고난을 통해 증명됩니다. 신념을 지키기 위해 인내하며, 이를 통해 더 나은 삶을 살아갑니다. 인내와 진실은 우리의 삶을 더욱 의미 있게 만들고, 우리의 내면을 강하게 만듭니다. 이를 통해 더 큰 성취를 이룰 수 있으며, 자신의 가치를 증명합니다.

2부

한비자(韓非子) Insight

자 기 실 현

동쪽으로 뛴다고 다 미치광이는 아니다

“미치광이가 동쪽으로 달려가면 뒤쫓는 자 또한 동쪽으로 달려간다. 그들이 동쪽으로 달려간 것은 같지만, 동쪽으로 달려가서 하고자 한 일은 다르다. 그러므로 이렇게 말한다. 같은 일을 하는 사람이라도 상세하게 살피지 않을 수 없다.” 《한비자, 설림 상편》

주관의 중요성

주관은 우리 삶에서 중요한 역할을 합니다. 이는 신념, 가치, 목표를 바탕으로 한 판단과 행동을 의미합니다. 주관을 가진 사람은 외부의 영향을 받지 않고, 자신의 길을 명확히 알고 걸어갑니다. 주관이 없는 사람은 외부의 의견과 상황에 쉽게 흔들리며, 자신의 삶을 주체적으로 살아가지 못합니다.

주관은 우리의 자존감과 자신감을 높이는 데 필수입니다. 자신의 신념과 가치를 바탕으로 한 판단과 행동은 우리의 삶을 더욱 의미 있게 만듭니다. 주관을 가진 사람은 어려운 상황에서도 흔들리지 않고, 자신의 길을 걸어갑니다. 이는 우리의 삶을 더욱 주체적으로 만들고, 타인으로부터 존경을 받게 합니다.

주관을 유지하는 방법

주관을 유지하기 위해서는 몇 가지 전략이 필요합니다. 첫째, 자신의 가치와 목표를 명확히 설정해야 합니다. 이는 우리의 판단과 행동의 기준이 되며, 외부의 영향을 받지 않고 자신의 길을 걸어갈 수 있게 도와줍니다. 우리는 자신의 신념과 가치를 바탕으로 한 목표를 설정하고, 이를 위해 노력해야 합니다. 둘째, 자기 생각과 감정을 주기적으로 점검해야 합니다. 이는 자신의 주관을 유지하는 데 중요한 역할을 합니다. 자신의 감정과 생각을 주기적으로 점검하고, 이를 바탕으로 자신의 신념과 가치를 강화해야 합니다. 이를 통해 외부의 영향을 받지 않고, 자신의 길을 걸어갈 수 있습니다. 셋째, 자신의 신념과 가치를 지키기 위해 노력해야 합니다. 이는 주관을 유지하는 데 중요한 역할을 합니다. 자신의 신념과 가치를 지키기 위해 끊임없이 노력해야 하며, 이를 통해 자신의 삶을 주체적으로 살아갑니다.

주관 없는 삶의 위험성

주관 없이 타인의 행동을 따라가는 삶은 큰 위험을 초래합니다. 미치광이를 뒤쫓는 자는 결국 자신의 길을 잃고 망하게 됩니다. 이는 자신의 신념과 가치를 잃고, 외부의 의견과 상황에 쉽게 흔들리기 때문입니다. 주관 없이 행동하는 사람은 자신의 삶을 주체적으로 살아가지 못하며, 결국 자신을 잃게 됩니다.

주관 없는 삶은 자존감과 자신감을 떨어뜨립니다. 외부의 의견과 상황에 쉽게 흔들리기 때문에 자신의 신념과 가치를 지키기 어렵습니다. 이는 삶을 혼란스럽게 만들고, 타인으로부터 존경을 받지 못하게 합니다. 주관 없이 행동하는 사람은 자신의 삶을 주체적으로 살아가지 못합니다.

주관 없는 삶은 또한 우리의 삶을 무의미하게 만듭니다. 자신의 신념과 가치를 잃고, 외부의 의견과 상황에 쉽게 흔들리기 때문에 자신의 목표를 이루기 어렵습니다. 이는 삶을 혼란스럽게 만들고, 타인으로부터 존경을 받지 못하게 합니다. 주관 없이 행동하는 사람은 자신의 삶을 주체적으로 살아가지 못하며, 결국 자신을 잃게 됩니다.

중년은 주관의 중요성을 깊이 인식해야 합니다. 한비자가 언급한 미치광이와 그를 뒤쫓는 자의 비유는 주관 없이 행동하는 위험성을 잘 보여줍니다. 주관 없이 타인의 행동을 따라가는 사람은 결국 자신의 길을 잃고 망하게 됩니다. 자신의 신념과 가치를 바탕으로 한 판단과 행동을 통해 자신의 삶을 주체적으로 살아가야 합니다. 주관을 유지하기 위해 자신의 가치와 목표를 명확히 설정하고, 주기적으로 자신의 생각과 감정을 점검하며, 자신의 신념과 가치를 지키기 위해 노력해야 합니다. 이를 통해 우리는 더 나은 삶을 살아갈 수 있으며, 타인으로부터 존경을 받게 됩니다.

판단은 경청하는 자의 몫이다

●
●
●

"법도를 헤아리는 것이 비록 올바르다고 해서 반드시 들어주는 것은 아니며, 도리상 완전하다고 해서 반드시 채택되는 것은 아닙니다." 《한비자, 난언편》

경청의 중요성

판단은 경청하는 자의 몫입니다. 이는 우리의 의견이 상대방에게 얼마나 잘 전달되고 이해되느냐에 따라 그 결과가 달라질 수 있음을 의미합니다. 경청은 단순히 듣는 것을 넘어, 상대방의 입장을 이해하고 그에 맞게 반응하는 것을 포함합니다. 중년은 다양한 경험을 통해 경청의 중요성을 깨닫게 됩니다. 경청하는 능력은 인간관계에서 신뢰를 구축하고, 효과적인 소통을 가능하게 합니다.

경청의 중요성은 특히 설득의 과정에서 두드러집니다.

상대방이 자신의 말을 제대로 이해하고 받아들이기 위해서는 먼저 그들이 내 말을 경청할 수 있어야 합니다. 우리가 설득하려는 대상에게 신뢰를 주고, 그들의 관심을 끌 수 있는 능력을 요구합니다. 경청은 일방적인 소통이 아니라 상호작용을 통해 이루어지며, 이는 우리의 메시지가 효과적으로 전달되는 데 중요한 역할을 합니다.

설득의 기술

최선을 다해 설득하는 것은 우리의 의견을 효과적으로 전달하고, 상대방의 이해와 동의를 이끌어내는 과정을 의미합니다. 설득의 기술은 다양한 요소를 포함합니다. 첫째, 명확하고 논리적인 설명이 필요합니다. 우리의 주장을 뒷받침하는 구체적인 사례와 데이터를 제시함으로써 상대방의 신뢰를 얻을 수 있습니다. 둘째, 감정적 호소도 중요합니다. 사람들은 종종 논리보다는 감정에 의해 더 강하게 움직입니다. 따라서 메시지가 감정적으로도 공감할 수 있도록 전달하는 것이 중요합니다. 이는 상대방의 감정을 이해하고, 그들의 관심사와 연관 지어 우리의 주장을 제시하는 방식으로 이루어집니다. 셋째, 상대방의 입장을 존중하는 자세가 필요합니다. 상대방의 의견을 경청하고, 그들의 관점을 이해하려는 노력을 보여줌으로써 우리는 더 효과적으로 설득할 수 있습니다. 이는 단순히 우리의 주장을 관철시키기 위한 것이 아니라, 상호 존중을 바탕으로 한 건설적인 대화를 이루기 위함입니다. 설득의 과정은 단순한 정보 전달이 아니라, 상대방과의 신뢰를 구축하고, 공감대를 형성하는 과정입니다.

실패를 두려워하지 않기

설득의 과정에서 우리는 종종 실패를 경험하게 됩니다. 자기 의견이 항상 받아들여지지 않을 수 있으며, 이는 자연스러운 일입니다. 중요한 것은 이러한 실패를 두려워하지 않고, 계속해서 최선을 다해 설득하는 것입니다. 실패는 우리가 성장하고 발전하는 데 중요한 경험이 됩니다.

실패를 두려워하지 않기 위해서는 먼저 자신의 주장을 명확히 하고, 그에 대한 확신을 가져야 합니다. 자신의 의견에 대한 신념을 바탕으로 상대방을 설득하려는 노력을 멈추지 말아야 합니다. 또한, 실패를 통해 배울 수 있는 점을 찾아내고, 이를 통해 자신의 설득 방식을 개선해 나가야 합니다. 또한, 설득의 과정에서 인내심을 가지는 것이 중요합니다. 상대방의 입장을 이해하고, 그들의 의견을 존중하는 자세를 유지하면서 우리는 더 효과적으로 설득해야 합니다. 설득은 한 번의 시도로 이루어지는 것이 아니라, 지속적인 노력과 인내가 필요한 과정입니다.

결론

판단은 경청하는 자의 몫입니다. 우리의 의견과 주장이 항상 받아들여지지 않을 수 있지만, 최선을 다해 설득하는 과정은 매우 중요합니다. 경청의 중요성을 인식하고, 효과적인 설득의 기술을 활용하며, 실패를 두려워하지 않는 자세를 유지하는 것이 필요합니다. 중년은 이러한 교훈을 바탕으로, 자신의 의견을 효과적으로 전달하고, 더 나은 의사소통을 이끌어냅니다.

머리카락을 버리더라도 머리를 감아라

•
•
•

“정치를 하는 것은 머리를 감는 것과 같아서, 머리카락을 버리게 되더라도 반드시 머리를 감아야 한다.” 《한비자, 육반편》

작은 손실의 인식과 수용

삶에서 모든 것을 완벽하게 유지하려는 시도는 종종 더 큰 손실을 초래합니다. 작은 손실은 때로는 피할 수 없는 것이며, 이를 인식하고 수용하는 것이 중요합니다. 예를 들어, 우리는 시간과 자원을 효율적으로 사용하기 위해 일부 일을 포기해야 할 때가 있습니다. 이는 단기적으로 손실처럼 보일 수 있지만, 장기적으로 더 큰 성과를 가져옵니다. 작은 손실을 감수하는 것은 우리의 선택과 우선순위를 명확히 하는 데 도움이 됩니다. 우리는 중요한 목표와 가치를 위해 불필요한 것들을 버려야 합니다. 이를 통해 우리는 더 큰 목표를 달성하고, 더 나은 결과를 얻습니다. 작은 손실을 두려워하지 않고, 이를 통해 더 큰 이익을 추구하는 자세가 필요합니다.

또한, 작은 손실은 우리의 삶을 단순화하고, 더 중요한 것들에 집중할 수 있게 해줍니다. 불필요한 것들을 버림으로써 우리는 더 중요한 목표와 가치에 집중합니다. 이는 우리의 삶을 더욱 의미 있게 만들고, 더 큰 성과를 이끌어 냅니다. 작은 손실을 감수하는 것은 우리의 삶을 단순화하고, 더 큰 이익을 추구하는 데 중요한 역할을 합니다.

장기적 관점의 중요성

큰 이익을 위해 작은 손실을 감수하려면 장기적인 관점을 가지는 것이 중요합니다. 단기적인 손실에 집착하면 장기적인 성과를 놓치게 됩니다. 우리는 현재의 작은 손실이 미래의 더 큰 이익으로 이어질 수 있음을 이해해야 합니다. 우리는 자신의 시간을 투자하여 새로운 기술을 배우거나, 더 나은 직업을 얻기 위해 교육을 받는 등의 선택을 해야 합니다. 이러한 선택은 단기적으로는 손실처럼 보일 수 있지만, 장기적으로는 더 큰 이익을 가져옵니다.

장기적인 관점을 가지는 것은 우리의 결정을 더욱 현명하게 만들고, 더 큰 성과를 이끌어 냅니다. 우리는 단기적인 손실에 연연하지 않고, 장기적인 목표를 위해 노력해야 합니다. 이를 통해 우리는 더 나은 결과를 얻고, 더 큰 성취를 이룰 수 있습니다. 장기적인 관점은 우리의 삶을 더욱 의미 있게 만들고, 더 나은 성과를 이끌어 내는 데 중요한 역할을 합니다.

또한, 장기적인 관점을 가지는 것은 우리의 삶을 더욱 안정적으로 만들고, 더 큰 성과를 이끌어 냅니다. 우리는 현재의 작은 손실에 집착하지 않고, 장기적인 목표를 위해 노력해야 합니다. 이를 통해 더 나은 결과를 얻고, 더 큰 성취를 이룹니다.

우선순위 설정과 효율적인 자원 관리

큰 이익을 위해 작은 손실을 감수하려면 우선순위를 명확히 하고, 자원을 효율적으로 관리해야 합니다. 우리는 가장 중요한 목표와 가치를 식별하고, 이를 달성하기 위해 필요한 자원을 효과적으로 배분해야 합니다.

우선순위를 명확히 설정하면 우리는 중요한 목표에 집중할 수 있으며, 불필요한 손실을 줄일 수 있습니다. 우리는 가장 중요한 목표와 가치를 식별하고, 이를 달성하기 위해 필요한 자원을 효과적으로 배분해야 합니다. 이를 통해 우리는 더 큰 성과를 얻습니다. 우선순위를 명확히 설정하는 것은 우리의 삶을 더욱 효율적으로 만들고, 더 큰 성과를 이끌어내는 데 중요한 역할을 합니다.

결론

중년은 큰 이익을 위해 작은 손실을 감수하는 지혜를 깊이 이해해야 합니다. 한비자가 언급한 비유는 작은 손실을 감수하더라도 더 큰 이익을 위해 필수적인 행동을 해야 한다는 교훈을 전달합니다. 작은 손실을 인식하고 수용하며, 장기적인 관점을 가지고 우선순위를 명확히 설정하는 것이 중요합니다.

마음은 행동으로 드러난다

•
•
•

공자 규(糾)가 노나라로 망명하여 제나라에 대한 반역을 꾀하고 있다는 소문을 듣고, 제나라 환공이 사자를 보내어 그를 감시하게 했다. 사자가 돌아와서 이렇게 보고했다. "규는 웃고 있어도 즐거워 보이지 않고, 눈으로 보고 있으면서도 보는 것 같지 않습니다. 반란을 계획하고 있는 것이 분명합니다." 이 말은 들은 환공은 그를 죽이게 했다."
《한비자, 설림 하편》

마음 상태가 행동에 미치는 영향

우리 마음 상태는 행동으로 드러나며, 이는 타인에게 강력한 메시지를 전달합니다. 공자 규의 이야기를 통해 알 수 있듯이, 규의 내면 상태는 그의 외적 행동에 분명히 나타났습니다. 그가 겉으로 웃고 있어도 즐거워 보이지 않고, 눈으로 보고 있으면서도 보는 것 같지 않다는 사자의 보고는 규의 마음이 얼마나 불안하고 동요하고 있는지를 드러냈습니다. 중년의 우리도 마찬가지입니다. 직장에서 스트레스, 가정에서의 문제, 개인적인 고민 등은 우리의 행동에 영향을 미치며, 이러한 행동은 주변 사람들에게 자신의 상태를 전달합니다. 불안한 마음은 초조한 행동으로, 행복한 마음은 활기찬 행동으로 나타납니다. 따라서 마음 상태를 긍정적으로 유지하는 것이 중요하며, 이는 우리 삶의 전반적인 질을 향상시키는 데 큰 도움이 됩니다.

마음과 행동의 일치 중요성

마음과 행동이 일치할 때, 우리는 더 진정성 있는 삶을 살 수 있습니다. 진정성은 중년에 더욱 중요합니다. 삶의 경험이 축적되면서, 우리는 더 이상 피상적인 것에 얽매이지 않고, 진정한 자신을 드러내고자 하는 욕구가 커집니다. 공자 규의 사례에서 볼 수 있듯이, 그의 행동은 마음의 상태와 일치하지 않았습니다. 이는 결국 그의 진정성을 의심받게 했고, 비극적인 결말로 이어졌습니다. 우리가 진정성 있는 삶을 살기 위해서는 마음과 행동이 일치하도록 노력해야 합니다. 이를 위해서는 먼저 자신의 감정을 인식하고,

이를 솔직하게 표현하는 연습이 필요합니다. 또한, 타인과의 소통에서 진실한 마음을 담아 행동하는 것이 중요합니다. 이렇게 함으로써 우리는 더 신뢰받고, 깊이 있는 인간관계를 형성합니다.

마음 관리와 행동 조절 방법

마음 상태를 긍정적으로 유지하고, 행동을 일치시키기 위해서는 지속적인 자기 관리가 필요합니다. 첫째로, 자기 인식을 강화하는 것이 중요합니다. 자신의 감정 상태를 정기적으로 점검하고, 무엇이 우리를 불안하게 하거나 행복하게 만드는지 파악하는 것이 필요합니다. 둘째로, 스트레스 관리 기법을 활용하는 것이 도움이 됩니다. 산책 등은 마음을 안정시키고, 긍정적인 에너지를 충전하는 데 효과적입니다. 셋째로, 타인과의 관계에서 진정성 있게 행동하는 연습을 해야 합니다. 이는 때로는 불편할 수 있지만, 장기적으로는 더 깊이 있는 관계를 형성하는 데 도움이 됩니다. 마지막으로, 목표 설정과 성취를 통해 자아실현을 추구하는 것이 중요합니다. 이는 자신감을 높이고, 긍정적인 마음 상태를 유지하는 데 큰 도움이 됩니다.

결론

공자 규의 이야기는 마음 상태가 어떻게 행동으로 드러나는지를 잘 보여주는 사례입니다. 중년은 자신의 내면 상태와 외부로 드러나는 행동 사이의 관계를 깊이 생각해 보아야 합니다. 마음과 행동이 일치할 때 우리는 더 진정성 있는 삶을 살 수 있으며, 이는 주변 사람들과의 관계를 개선하고 삶의 질을 향상시키는 데 큰 도움이 됩니다.

교만은 멸망으로 가는 지름길이다

•
•
•

"사람은 복이 있으면 부귀하게 되고, 부귀한 자리에 오르면 의식이 화려해지고, 의식이 화려해지면 교만한 마음이 생기고, 교만한 마음이 생기면 행동이 사악하고 괴벽해져 도리를 저버리는 짓을 한다. 행동이 사악하고 괴벽해지면 요절하고, 도리를 외면하면 공을 이루지 못한다. 무릇 안으로 요절의 재난이 있고, 밖으로는 공을 이룬 명성이 없는 것은 큰 재앙이다."《한비자, 해로편》

교만의 시작과 그 결과

교만은 종종 성취와 부귀에서 시작됩니다. 성공과 부유함은 사람들에게 자신감과 자부심을 주지만, 이 자부심이 지나쳐 교만으로 변하면 문제가 발생합니다. 교만한 마음은 자신을 과대평가하게 만들고, 타인을 경시하게 만듭니다.

교만은 또한 도덕적 타락을 초래합니다. 부귀한 자리에 오르면 의식이 화려해지고, 이는 교만한 마음으로 이어집니다. 교만한 사람은 자신의 욕망을 충족시키기 위해 도덕적 기준을 무시하고, 결과적으로 행동이 사악하고 괴벽해집니다. 이러한 행동은 결국 자신과 주변 사람들에게 해를 끼치며, 사회적 질서를 어지럽힙니다.

교만의 결과는 비참합니다. 교만한 사람은 자신의 잘못을 인정하지 않고, 타인의 조언을 무시하며, 끝내 자신의 파멸을 자초합니다. 이는 요절과 같은 개인적 재난뿐만 아니라, 공을 이루지 못하고 명성을 잃는 사회적 재앙으로 이어집니다.

교만의 해로운 영향

교만은 개인의 정신적, 도덕적 균형을 무너뜨립니다. 교만한 사람은 자기 능력과 성취를 과대평가하고, 타인의 가치를 경시합니다. 이는 인간관계를 손상시키고, 신뢰를 잃게 만듭니다. 교만은 또한 자기 반성을 어렵게 만들며, 자기 잘못을 인정하고 고칠 기회를 박탈합니다.

교만은 또한 사회적 해악을 초래합니다. 교만한 사람은

자신의 이익을 위해 타인을 착취하고, 도덕적 규범을 무시합니다. 이는 사회적 갈등과 불신을 초래하며, 궁극적으로는 사회의 질서를 어지럽히고 안정성을 해칩니다. 교만은 사회 전체에 해로운 영향을 미치며, 공동체의 발전을 저해합니다.

교만은 또한 개인의 성장을 방해합니다. 교만한 사람은 자기 능력을 과신하고, 새로운 지식을 습득하거나 자기계발을 위한 노력을 게을리합니다. 이는 결국 개인의 발전을 저해하고, 장기적으로는 실패와 좌절을 초래합니다.

교만을 극복하는 방법

교만을 극복하기 위해서는 겸손한 자세를 유지하는 것이 중요합니다. 겸손은 자신의 한계를 인정하고, 타인의 가치를 존중하는 태도입니다. 겸손한 사람은 자신의 성취를 자랑하지 않고, 타인과 협력하며, 지속적으로 배우고 성장하려는 노력을 기울입니다.

교만을 극복하는 또 다른 방법은 자기 반성입니다. 자기 반성은 자신의 행동과 태도를 돌아보고, 잘못된 점을 수정하는 과정입니다. 자기 반성은 교만을 줄이고, 더 나은 자신으로 발전하는 데 도움이 됩니다. 정기적으로 자기 행동을 평가하고, 개선하려는 노력을 통해 우리는 교만을 극복할 수 있습니다.

교만을 예방하는 세 번째 방법은 타인의 조언을 경청하는 것입니다. 타인의 조언을 듣고, 이를 수용하는 태도는 교만을 줄이고, 더 나은 결정을 내리는 데 도움이 됩니다. 우리는 타인의 경험과 지혜를 통해 자신의 한계를 깨닫고, 더 나은 방향으로 나아갈 수 있습니다.

결론

중년은 많은 성취와 경험을 통해 자신감을 얻게 됩니다. 그러나 한비자가 경고한 것처럼, 교만은 우리의 성취를 무너뜨리고, 파멸로 이끄는 지름길이 될 수 있습니다. 교만을 극복하기 위해서는 겸손한 자세를 유지하고, 자기 반성과 타인의 조언을 경청하는 노력이 필요합니다.

책은 과거의 산물일 뿐이다

•
•
•

"왕수(王壽)라는 학자가 책을 짊어지고 가다가 주(周)나라 땅에서 서풍을 만나 한 수 가르쳐 달라고 청했다. 서풍이 말했다. "일이란 실행하는 것이고, 실행의 결과는 때에 따라서 나타나는데, 그 상황은 항상 같지 않다. 한 사람이 같은 일을 해도 결과는 그때그때 다르다. 책은 옛사람의 말을 기록해 놓은 것이고, 말이란 그때그때의 인식에서 생겨난 것이다. 책에 쓰인 말은 그 시대를 겨냥하고 있을 뿐이다. 그래서 지혜로운 사람은 책을 소장하지 않는다." 이 말을 들은 왕수는 갖고 있던 책을 모두 불살라 버리고는 어찌나 기뻤던지 덩실덩실 춤을 추었다." 《한비자, 유로편》

과거의 지혜와 현재의 적용

책은 과거의 지혜를 담고 있지만, 그 지혜가 현재 상황에 그대로 적용될 수 있는 것은 아닙니다. 왕수가 서풍을 만나 깨달음을 얻은 것처럼, 우리는 책의 내용을 맹목적으로 따르기보다는 현재 상황에 맞게 해석하고 적용해야 합니다. 과거 지혜는 그 시대의 맥락과 상황에 맞추어 형성된 것입니다. 예를 들어, 고대의 농업 기술이나 사회 구조에 대한 지식은 오늘날과 다릅니다. 따라서 우리는 이러한 지혜를 현재 상황에 맞게 변형하고, 현대적인 문제 해결에 적용해야 합니다. 또한, 과거 지혜를 현재에 적용할 때는 비판적 사고가 필요합니다. 우리는 책에 쓰인 내용을 그대로 받아들이기보다는, 그것이 현재 상황에 어떻게 맞는지 고민해야 합니다.

시대 변화에 따른 지혜의 재해석

시대는 끊임없이 변화합니다. 과거의 지혜가 오늘날에도 유효하려면, 그 지혜를 시대에 맞게 재해석하는 과정이 필요합니다. 왕수가 책을 불살랐듯이, 우리는 고정된 사고에서 벗어나 새로운 시각을 받아들일 준비가 되어 있어야 합니다. 지혜의 재해석은 우리의 사고방식을 넓히고, 다양한 관점을 수용하게 만듭니다. 고대의 철학자들이 논의한 도덕과 윤리는 오늘날에도 중요하지만, 현대 사회의 맥락에서 다시 해석해야 합니다. 또한, 과거의 지혜를 현대의 기술과 결합하여 새로운 해결책을 만들어냅니다. 전통적인 농업 지식과 현대의 과학기술을 결합하면, 더욱 효율적이고 지속 가능한 농업 방법을 개발할 수 있습니다.

지식의 융합과 창조적 사고

지혜로운 사람은 지식을 고정된 형태로 보지 않고, 시대에 맞게 융합하고 창조적으로 활용합니다. 왕수가 책을 불태우고 새로운 깨달음을 얻은 것처럼, 우리는 지식을 창조적으로 재해석하여 새로운 통찰을 얻어야 합니다. 지식의 융합은 다양한 분야의 지식을 통합하여 새로운 해결책을 찾는 것을 의미합니다. 예를 들어, 의학과 기술을 결합하여 새로운 치료법을 개발하거나, 예술과 과학을 결합하여 혁신적인 제품을 만들어냅니다. 창조적 사고는 우리의 문제 해결 능력을 강화합니다. 우리는 기존의 지식을 고정된 형태로 받아들이기보다는, 이를 새로운 방식으로 재구성하여 문제를 해결할 수 있습니다. 예를 들어, 전통적인 문제 해결 방법이 효과적이지 않을 때, 다양한 지식을 결합하여 새로운 접근 방식을 시도해야 합니다.

결론

중년은 많은 성취와 경험을 통해 인생에서 중요한 교훈을 얻었습니다. 한비자가 언급한 "책은 과거의 산물일 뿐이다"는, 우리가 지식을 시대에 맞게 해석하고 적용해야 한다는 점을 강조합니다. 과거의 지혜를 현재의 상황에 맞게 재해석하고, 이를 통해 새로운 통찰을 얻는 것이 중요합니다.

과거의 지혜를 존중하면서도, 현대의 필요에 맞추어 유연하게 대응하는 자세를 통해 우리는 더 나은 자신과 사회를 만들어 나갈 수 있습니다. 지혜의 재해석과 창조적 사고는 우리의 삶을 더욱 풍요롭게 만들고, 더 나은 성과를 이끌어내는 데 중요한 역할을 합니다.

신발 치수를 잰 종이를 가지러 가다

•
•
•

“정(鄭)나라 사람이 신발을 사려고 장에 갔다. 그런데 자기 발 치수를 재어 기록한 종이를 깜빡 잊고 가져오지 않았다. 그는 신발 장수에게 이렇게 말했다. "신발 치수를 적어 둔 것을 집에 놓고 왔으니 돌아가서 가져오겠소." 그러고는 집으로 돌아가 종이를 들고 다시 장에 갔는데, 장은 이미 끝난 뒤였다. 안타까워하는 그의 사연을 듣고 어떤 사람이 말했다. "집으로 갈 필요 없이 그 자리에서 신발을 신어 봤으면 됐을 것 아니오?" 그러자 그가 대답했다. "치수를 적은 종이는 믿어도, 내 발을 믿을 수가 없었소.” 《한비자, 외저설 좌상편》

현실을 인정하고 유연하게 대응하기

정나라 사람의 이야기는 고정된 사고방식이 비효율적이고 비현실적인 결과를 초래하는지를 보여줍니다. 그는 신발 치수를 적어둔 종이에 너무 의존한 나머지, 직접 신발을 신어보는 방법을 무시했습니다. 이는 우리가 일상에서 자주 겪는 문제로, 기존의 틀에 갇혀 현실적인 해결책을 보지 못하는 상황을 나타냅니다.

현실을 인정하고 유연하게 대응하는 것은 문제 해결의 첫 걸음입니다. 세상은 항상 변화하며, 예상치 못한 상황이 발생합니다. 이러한 변화에 맞서기 위해서는 고정된 사고방식에서 벗어나, 상황에 맞게 유연하게 대응해야 합니다. 직장에서 새로운 프로젝트가 도입되었을 때 기존의 방법만 고수하면 실패할 가능성이 큽니다. 대신, 새로운 정보를 수용하고 적응하는 자세가 필요합니다.

자기 신뢰와 직관의 중요성

정나라 사람은 종이에 적힌 치수를 믿었지만, 자신의 발을 믿지 못했습니다. 이는 자기 신뢰와 직관의 부족을 나타냅니다. 우리는 종종 외부의 권위나 기록에 의존하면서, 자신의 직관과 판단력을 무시하는 경향이 있습니다. 그러나 자기 신뢰와 직관은 중요한 의사결정 도구입니다.

자기 신뢰는 자신의 능력과 판단을 믿는 것을 의미합니

다. 이는 자신감을 높이고, 더 나은 결정을 내리는 데 중요한 역할을 합니다. 중요한 회의에서 자신의 의견을 주저하지 않고 표현하는 것은 자기 신뢰에서 비롯됩니다.

직관은 우리가 무의식적으로 얻는 통찰력입니다. 이는 종종 복잡한 상황에서 빠르고 정확한 결정을 내리는 데 유용합니다. 우리는 직관을 통해 상황을 빠르게 파악하고, 적절한 대응을 할 수 있습니다. 정나라 사람처럼 기록에만 의존하지 않고, 자신의 직관을 신뢰하는 것이 중요합니다.

변화와 불확실성에 대한 준비

변화와 불확실성은 삶의 일부분입니다. 우리는 이를 받아들이고, 이에 대비하는 자세를 가져야 합니다. 정나라 사람의 이야기는 변화와 불확실성에 대비하지 않고 고정된 틀에 머무는 것이 어떻게 비효율적인 결과를 초래하는지를 보여줍니다.

변화와 불확실성에 대비하는 첫 번째 단계는 유연한 사고방식을 기르는 것입니다. 이는 다양한 상황에서 다양한 방법을 시도하고, 실패를 두려워하지 않는 자세를 포함합니다. 두 번째 단계는 지속적인 학습과 자기계발입니다.

우리는 끊임없이 새로운 지식을 습득하고, 자신의 능력을 향상시켜야 합니다. 세 번째 단계는 긍정적인 자세를 유지하는 것입니다. 변화와 불확실성은 스트레스를 유발할 수 있지만, 이를 긍정적으로 받아들이고, 기회로 삼는 자세가 필요합니다.

결론

중년은 많은 성취와 경험을 통해 인생에서 중요한 교훈을 얻었습니다. 한비자가 전해준 이야기는 고정된 사고방식의 어리석음을 잘 보여줍니다. 이러한 자세는 우리의 삶을 더욱 풍요롭게 만들고, 더 나은 결과를 이끌어내는 데 중요한 역할을 합니다. 세상을 자기 기분에 맞추기보다는, 변화와 불확실성을 받아들이고, 이에 적응하는 능력을 기르는 것이 중요합니다. 이를 통해 우리는 더 나은 자신과 사회를 만들어 나가게 됩니다.

점괘에 자기 인생을 맡기지 말라

•
•
•

"월(越)나라 왕 구천(句踐)은 신령스러운 거북의 점괘만을 믿고 오(吳) 나라와 전쟁을 벌였다가 패했다. 그리고 오나라 왕 부차(夫差)를 섬기는 신하가 되었다. 구천은 훗날 월나라로 돌아와서는 거북점을 버리고, 법을 밝히며 백성을 아끼는 왕이 되었다. 그리고 오나라에 보복하니. 이번에는 오나라의 부차가 월나라의 포로가 되었다." 《한비자, 식사편》

점괘에 의존하는 위험성

구천 왕의 이야기는 점괘에 의존하는 것이 얼마나 위험한지를 보여줍니다. 구천은 신령스러운 거북의 점괘를 믿고 오나라와 전쟁을 벌였지만, 결국 패배하고 오나라 왕 부차의 신하로 전락했습니다. 이는 점괘나 예언에 의존하는 것이 현실적인 판단을 흐리게 하고, 잘못된 결정을 내리게 할 수 있음을 시사합니다.

점괘에 의존하는 것은 우리의 주체성을 약화시키고, 스스로의 노력을 게을리하게 만듭니다. 우리는 종종 점괘나 운명에 의존하여 미래를 맡기고, 그 결과를 기다리는 경향이 있습니다. 그러나 이는 능동적으로 삶을 개척하는 것을 방해하며, 현실적인 문제에 적절히 대응하지 못하게 만듭니다. 또한, 점괘에 의존하는 것은 불확실성을 증가시킵니다. 점괘는 미래를 정확히 예측할 수 있는 도구가 아니며, 그 결과에 따라 행동을 결정하는 것은 매우 위험합니다. 우리는 현실적인 근거와 데이터를 바탕으로 결정을 내려야 하며, 점괘에 의존하는 대신 자신의 노력과 능력을 믿어야 합니다.

자신의 본분을 다하는 중요성

구천 왕이 오나라에서 패배한 후 자신의 본분을 다하는 데 집중한 이야기는 중요한 교훈을 줍니다. 그는 월나라로 돌아와 점괘를 버리고, 법을 밝히며 백성을 아끼는 왕으로 거듭났습니다. 이로 인해 그는 결국 오나라를 다시 정복하고 부차를 포로로 만들었습니다. 이는 자신의 본분을 다하는 것이 얼마나 중요한지를 잘 보여줍니다.

자신의 본분을 다하는 것은 우리의 책임과 의무를 다하는 것을 의미합니다. 우리는 각자 자신의 역할과 책임을 가지고 있으며, 이를 충실히 수행할 때 비로소 성공과 성취를 이룰 수 있습니다. 또한, 자신의 본분을 다하는 것은 우리의 자존감을 높입니다. 우리는 자신의 역할과 책임을 충실히 수행함으로써 스스로에 대한 자부심과 만족감을 느낄 수 있습니다. 이는 우리의 정신적, 정서적 건강에 긍정적인 영향을 미치며, 더 나은 삶을 살아가는 데 중요한 역할을 합니다.

현실적인 노력을 통한 성공

구천 왕의 이야기는 현실적인 노력이 어떻게 성공으로 이어질 수 있는지를 잘 보여줍니다. 그는 점괘에 의존하는 대신 법을 밝히고 백성을 아끼는 현실적인 노력을 통해 오나라를 다시 정복할 수 있었습니다. 이는 우리가 자신의 본분을 다하고, 현실적인 노력을 기울일 때 성공을 이룰 수 있음을 시사합니다.

현실적인 노력은 우리의 목표를 달성하는 데 필수입니

다. 우리는 구체적인 계획을 세우고, 그 계획을 실행하기 위해 필요한 노력을 기울여야 합니다. 또한, 현실적인 노력은 우리의 문제 해결 능력을 향상시킵니다. 우리는 문제에 직면했을 때 이를 해결하기 위해 다양한 방법을 모색하고, 그 방법을 실행하기 위해 필요한 노력을 기울입니다. 이는 우리의 문제 해결 능력을 강화하며, 더 나은 결과를 이끌어냅니다.

결론

한비자가 언급한 "점괘에 자기 미래를 맡기지 말라"는 이야기는 우리가 자신의 본분을 다하고, 현실적인 노력을 통해 성공을 이룰 수 있음을 잘 보여줍니다. 점괘나 운명에 의존하기보다는, 자신의 능력과 노력을 믿고, 자신의 역할과 책임을 충실히 수행하는 것이 중요합니다. 이를 통해 우리는 더 나은 결과를 얻고, 더 나은 삶을 살아갑니다.

포장지가 아름다워도 포장지일 뿐이다

●
●
●

"초나라 사람이 정나라로 진주를 팔러 갔다. 목란(木蘭)으로 진주 상자를 만들고 계수나무와 초(椒)로 향기를 냈다. 상자 겉에는 주옥과 붉은 보석으로 장식하고 비취 깃도 달았다. 그런데 정나라 사람은 그 상자만 샀을 뿐 진주는 돌려주었다. 상자를 잘 팔았다고는 할 수 있지만 진주를 잘 팔았다고는 할 수 없다."《한비자, 외저설 좌상편》

첫째, 외형에 집착하는 사회의 문제

현대 사회는 종종 외형에 집착하는 경향이 있습니다. 우리는 외모, 명품, 브랜드 등 겉으로 보이는 것들에 큰 가치를 부여합니다. 이는 초나라 사람이 진주를 팔면서 화려한 상자에만 신경 쓴 것과 유사합니다. 상자가 아무리 아름다워도, 그 안에 담긴 진주가 진정한 가치임을 잊어서는 안 됩니다.

외형에 집착하는 사회는 사람들을 표면적인 것들에만 집중하게 만듭니다. 직장에서의 승진이나 사회적 인정은 종종 외모나 겉으로 드러나는 성과에 의해 결정됩니다. 그러나 진정한 능력과 가치는 눈에 보이지 않는 부분에 있습니다. 우리는 겉모습에 현혹되지 않고, 내재된 가치를 평가하는 능력을 길러야 합니다. 또한, 외형에 집착하는 것은 우리 스스로를 속이는 결과를 초래합니다. 우리는 자신의 가치를 외적인 요소에 의존하게 되고, 진정한 자아를 잃어버릴 위험이 있습니다.

둘째, 내재된 가치의 중요성

진정한 가치는 외형이 아닌 내면에 있습니다. 초나라 사람의 이야기는 화려한 상자에 속아 진정한 가치를 놓친 정나라 사람의 어리석음을 잘 보여줍니다. 우리는 내재된 가치를 인정하고, 이를 발견하는 능력을 길러야 합니다. 이는 우리의 삶을 더욱 풍요롭게 만들고, 더 나은 결정을 내리는 데 중요한 역할을 합니다.

내재된 가치는 우리의 삶에서 중요한 의미를 가집니다. 좋은 인간관계는 외형적인 요소보다 내면의 신뢰와 존중에 기반합니다. 우리는 상대방의 내면을 이해하고, 진정한 가치를 발견하는 노력이 필요합니다. 이는 우리의 인간관계를 더욱 깊고 의미 있게 만들어줍니다. 또한, 내재된 가치는 우리의 성장을 촉진합니다. 우리는 외형적인 성공보다는 내면의 성장을 중시해야 합니다. 자기계발과 자기반성을 통해 이루어집니다. 자신의 내면을 탐구하고, 진정한 가치를 발견함으로써 더 나은 사람이 됩니다.

셋째, 내면의 가치를 발견하는 방법

내면의 가치를 발견하기 위해서는 몇 가지 중요한 요소가 필요합니다. 첫째, 자기반성의 시간을 가져야 합니다. 우리는 자신의 삶을 돌아보고, 진정한 가치를 발견하는 시간을 가져야 합니다. 이는 우리의 내면을 탐구하고, 자신의 가치관을 정립하는 데 중요한 역할을 합니다.

둘째, 타인의 내면을 이해하는 노력이 필요합니다. 우리는 타인의 외형에만 집중하지 않고, 그들의 내면을 이해하고 존중하는 자세를 가져야 합니다. 타인의 내면을 이해하는 것은 우리의 인간관계를 더욱 풍요롭게 만드는 데 중요한 역할을 합니다.

셋째, 지속적인 자기계발과 학습이 필요합니다. 우리는 끊임없이 새로운 지식을 습득하고, 자신의 내면을 발전시키는 노력을 기울여야 합니다. 이는 우리의 내면을 더욱 풍요롭게 만들고, 진정한 가치를 발견하는 데 중요한 역할을 합니다. 자기계발과 학습은 우리의 삶을 더욱 의미 있게 만드는 데 중요한 요소입니다.

결론

중년은 많은 성취와 경험을 통해 인생에서 중요한 교훈을 얻었습니다. 한비자는 우리가 외형에만 집착하지 않고, 내재된 가치를 발견하는 것이 얼마나 중요한지를 잘 보여줍니다. 외형적인 요소에 속지 않고, 진정한 가치를 발견하는 능력을 길러야 합니다. 외형보다는 내면의 가치를 중시하고, 자신의 본분을 다하는 자세를 통해 우리는 더 나은 자신과 사회를 만들어 나갑니다.

우연에 자기 인생을 맡기지 말라

•
•
•

"송(宋)나라에 밭을 가는 농부가 있었다. 농부의 밭 가운데에 그루터기가 있었는데, 어느 날 토끼 한 마리가 달려가다가 그 그루터기에 부딪혀 목이 부러져 죽었다. 그러자 농부는 아예 쟁기를 내려놓고 그루터기를 지키며 다시 토끼가 거기 부딪히기만을 기다렸다. 그러나 토끼는 오지 않았고, 그 농부는 송나라 사람들의 웃음거리가 되었다."《한비자, 오두편》

우연에 의존하는 위험성

송나라 농부는 우연히 토끼가 그루터기에 부딪혀 죽는 것을 보고 다시 그런 일이 일어나기를 기대하며 쟁기를 내려놓았습니다. 이는 우연에 의존하는 삶의 위험성을 잘 보여줍니다. 우리는 종종 행운이나 우연에 의존하여 쉽게 성공을 이루려는 경향이 있습니다. 그러나 이러한 접근은 일시적인 성과를 가져올 수 있지만, 지속적인 성공을 보장하지는 않습니다.

우연에 의존하는 것은 우리의 노력을 저해하고, 현실적인 문제 해결을 방해합니다. 우연에 의존하기보다는 자신의 능력과 노력을 통해 목표를 달성해야 합니다. 직장에서의 성공을 위해 우연히 좋은 기회를 기다리기보다는, 자신의 능력을 개발하고 꾸준히 노력하여 성과를 이루는 것이 중요합니다. 또한, 우연에 의존하는 것은 우리의 주체성을 약화시킵니다. 자신의 삶을 능동적으로 개척하는 대신, 우연에 의해 좌우되는 수동적인 자세를 취하게 됩니다. 이는 우리의 자존감과 자기 효능감을 저하시킵니다.

변화에 유연하게 대처하기

송나라 농부의 이야기는 고지식하게 옛것을 고수하는 것이 얼마나 비효율적일 수 있는지를 보여줍니다. 농부는 우연히 발생한 사건에 집착하여 쟁기를 내려놓고 기다리기만 했습니다. 이는 변화에 유연하게 대처하지 못하는 자세를 나타냅니다. 우리는 변화하는 환경에 적응하고, 유연하게 대처하는 능력을 길러야 합니다.

변화에 유연하게 대처하는 것은 우리의 성공을 위해 필수입니다. 세상은 끊임없이 변화하며, 우리는 이러한 변화에 적응해야 합니다. 기술의 발전이나 경제 환경의 변화는 우리의 일상과 업무에 큰 영향을 미칠 수 있습니다. 우리는 이러한 변화에 대비하고, 유연하게 대처함으로써 더 나은 결과를 얻을 수 있습니다.

또한, 변화에 유연하게 대처하는 것은 우리의 문제 해결 능력을 강화합니다. 우리는 새로운 상황에 직면했을 때, 이를 해결하기 위한 다양한 방법을 모색하고, 실행할 수 있어야 합니다.

지속적인 학습과 자기계발

우연에 의존하거나 옛것을 고수하는 대신, 우리는 지속적인 학습과 자기계발을 통해 자신의 능력을 향상시켜야 합니다. 이는 우리의 삶을 더욱 의미 있게 만들고, 더 나은 결과를 이끌어내는 데 중요한 역할을 합니다. 우리는 끊임없이 새로운 지식을 습득하고, 자신의 능력을 발전시키는 노력을 기울여야 합니다.

지속적인 학습은 우리의 사고방식을 넓히고, 새로운 관

점을 받아들이게 만듭니다. 새로운 기술이나 학문을 배우는 것은 우리의 지식과 능력을 확장시키며, 더 나은 결정을 내리는 데 도움이 됩니다. 자기계발은 우리의 성장을 촉진합니다. 우리는 자신의 강점과 약점을 파악하고, 이를 보완하기 위한 노력을 기울여야 합니다.

결론

한비자는 우리가 우연이나 옛것에 의존하기보다는, 자신의 노력과 능력으로 인생을 개척하는 자세를 가져야 한다는 점을 잘 알려줍니다. 우리는 변화에 유연하게 대처하고, 지속적인 학습과 자기계발을 통해 더 나은 자신과 사회를 만들어 나갑니다. 이는 우리의 삶을 더욱 풍요롭게 만들고, 더 나은 성과를 이끌어내는 데 중요한 역할을 합니다.

3부
한비자(韓非子) Insight

자 기 극 복

늙은 말의 지혜는 쓸만하다

"관중과 습붕이 환공을 따라 고죽국을 정벌하러 갔는데, 봄에 출발했으나 겨울에 돌아오게 됐다. 이들은 그곳 지리에 어두워 길을 잃고말았다. 관중이 말했다. "늙은 말의 지혜를 쓰면 됩니다." 곧 이어 늙은 말을 풀어 그 뒤를 따라가 마침내 길을 찾았다. 또 산속을 가다보니 물이 없었다. 습붕이 말했다. "개미는 겨울에는 산의 남쪽에 살고, 여름에는 산의 북쪽에 산다고 합니다. 개미집이 한 자인데, 그로부터 일곱 자를 더 파면 물이 있습니다." 이에 땅을 파서 마침내 물을 얻었다." 《한비자, 설림 상편》

경험의 가치를 인정하라

늙은 말의 지혜를 사용하여 길을 찾은 관중의 이야기는 경험의 중요성을 잘 보여줍니다. 경험이 풍부한 사람이나 동물은 다양한 상황에서 유용한 지혜를 가지고 있습니다.

중년은 자신의 경험을 통해 얻은 지혜를 적극적으로 활용해야 합니다.

경험은 단순한 정보 이상의 가치를 가지고 있습니다. 그것은 반복된 시행착오와 학습을 통해 얻었습니다. 경험은 우리의 판단력과 결단력을 향상시키며, 복잡한 상황에서도 올바른 결정을 내릴 수 있게 도와줍니다. 또한, 경험은 우리의 자신감을 높입니다. 우리는 과거에 성공적으로 해결했던 문제들을 기억하며, 새로운 도전에 맞설 때도 자신감을 잃지 않습니다. 이는 우리의 삶을 더욱 풍요롭게 만들고, 더 나은 성과를 이루는 데 중요한 역할을 합니다.

자연과 동물에서 배우는 지혜

습붕이 개미의 행동을 통해 물을 찾은 이야기는 자연과 동물에서 배울 수 있는 지혜를 잘 보여줍니다. 자연과 동물은 수천 년의 진화를 통해 환경에 적응하는 방법을 터득했습니다. 우리는 이러한 자연의 지혜를 이해하고 활용함으로써 문제를 효과적으로 해결합니다.

동물의 행동을 관찰하면 우리는 많은 것을 배웁니다. 개미는 조직화된 사회 구조와 효율적인 자원 분배를 통해 생존합니다. 또한, 동물들은 본능적으로 생존에 필요한 중요한 정보를 알고 있으며, 이를 통해 우리는 새로운 문제 해결 방법을 발견합니다. 자연은 또한 우리에게 인내와 끈기의 가치를 가르칩니다. 식물과 동물은 환경에 맞서 살아남기 위해 끊임없이 적응하고 변합니다. 우리는 이러한 자연의 모습을 통해 끈기와 인내의 중요성을 배우고, 어려운 상황에서도 포기하지 않고 해결책을 찾는 자세를 가집니다.

겸손과 열린 마음으로 배우기

지혜로운 자는 항상 겸손하고 열린 마음으로 배울 준비가 되어 있습니다. 자신의 지혜와 경험에만 의존하지 않고, 다른 사람이나 동물, 자연에서 배울 점을 찾습니다. 이는 우리가 성장하고 발전하는 데 중요한 자세입니다. 관중과 습붕이 동물의 지혜를 받아들인 것처럼, 우리는 다양한 출처에서 배울 수 있는 지혜를 인정하고 활용해야 합니다.

겸손은 다른 이들의 의견과 경험을 존중하게 만듭니다. 이는 인간관계를 강화하고, 더 나은 협력을 이끌어냅니다. 또한, 열린 마음은 새로운 지식을 받아들이고, 기존의 지식을 확장하는 데 도움이 됩니다. 이는 우리의 사고방식을 넓히고, 더 창의적인 해결책을 찾는 데 중요한 역할을 합니다.

결론

한비자는 연륜이 주는 지혜의 중요성을 잘 보여줍니다. 연륜에서 오는 경험과 지혜는 우리의 삶을 더욱 풍요롭게 만들고, 어려운 상황에서 길을 찾는 데 큰 도움이 됩니다. 경험의 가치를 인정하고, 자연과 동물에서 배우며, 겸손하고 열린 마음으로 배우는 자세를 통해 우리는 더 나은 자신과 사회를 만들어 나가게 됩니다. 지혜로운 자는 다양한 출처에서 지혜를 얻으며, 이를 통해 더 나은 삶을 살아갑니다.

상대를 설득하려면 역린을 건드리지 말라

•
•
•

"무릇 용이라는 동물은 유순해서 길들이면 타고 다닐 수도 있다. 그러나 그 턱 밑에 한 자쯤 되는 거꾸로 솟은 비늘이 있는데, 역린(逆鱗)이라는 그것을 건드리면 반드시 죽는다. 군주에게도 역린이 있다. 유세하는 사람이 군주의 역린을 건드리지 않아야 성공을 기대할 수 있다."《한비자, 세난편》

상대방의 민감한 부분을 이해하기

상대방의 민감한 부분을 이해하기 위해서는 경청이 필수입니다. 사람마다 민감한 부분은 다를 수 있으며, 이는 그들의 가치관, 경험, 자존감 등과 깊이 연관되어 있습니다. 어떤 사람은 자신의 능력에 대한 비판을 싫어하고, 다른 사람은 가족에 대한 언급을 불쾌하게 여깁니다. 우리는 상대방의 말을 주의 깊게 듣고, 그들의 감정과 반응을 관찰해야 합니다. 이를 통해 그들이 무엇에 민감해하는지를 파악합니다.

상대방의 배경과 경험을 이해하는 노력도 중요합니다. 과거에 특정한 상처나 트라우마가 있다면, 우리는 이를 존중하고 조심스럽게 다루어야 합니다. 상대방의 민감한 부분을 이해하는 것은 그들과의 소통을 원활하게 하고, 더 깊은 신뢰를 형성하는 데 중요한 역할을 합니다.

존중과 공감의 태도 유지하기

상대방의 역린을 건드리지 않기 위해서는 존중과 공감의 태도를 유지해야 합니다. 우리는 상대방의 감정과 의견을 존중하고, 그들의 입장에서 생각하려는 노력을 기울여야 합니다. 이는 단순히 그들의 말을 듣는 것뿐만 아니라, 그들의 감정을 이해하고, 이를 반영하는 태도를 의미합니다.

존중은 상대방에게 우리가 그들을 진지하게 생각하고 있다는 신호를 보냅니다. 회의 중에 상대방의 의견을 존중하고, 그들의 말을 끊지 않고 끝까지 듣는 것은 중요한 존중의 표현입니다. 공감은 상대방의 감정을 이해하고, 그들과 감정적으로 연결되는 것을 의미합니다.

우리는 그들의 입장에서 상황을 바라보고, 그들의 감정을 인정하는 노력을 기울여야 합니다. 공감은 상대방과의 관계를 강화하고, 그들을 더 잘 이해하는 데 도움이 됩니다.

효과적인 설득 전략 사용하기

상대방의 역린을 건드리지 않고 효과적으로 설득하기 위해서는 전략적인 접근이 필요합니다. 우리는 상대방의 감정을 존중하면서도, 우리의 의견을 전달할 수 있는 방법을 찾아야 합니다. 이는 논리적인 설명과 감정적인 호소를 균형 있게 사용하는 것을 의미합니다.

논리적인 설명은 우리의 주장을 명확하고 일관성 있게 전달하는 데 도움이 됩니다. 우리는 객관적인 데이터와 사례를 통해 우리의 주장을 뒷받침해야 합니다. 감정적인 호소는 상대방의 감정에 호소하여 그들의 공감을 이끌어내는 방법입니다. 예를 들어, 사회적 문제를 해결하기 위한 캠페인을 기획할 때, 우리는 감정적인 이야기와 사례를 통해 사람들의 공감을 이끌어냅니다.

결론

한비자는 우리가 사람들을 설득할 때 주의해야 할 중요한 원칙을 잘 보여줍니다. 상대방의 민감한 부분을 이해하고, 존중과 공감의 태도를 유지하며, 효과적인 설득 전략을 사용해야 합니다. 이는 우리의 소통을 원활하게 하고, 더 깊은 신뢰를 형성하는 데 중요한 역할을 합니다.

상대방의 역린을 건드리지 않고, 그들의 감정을 존중하며 설득하는 자세를 통해 우리는 더 나은 인간관계를 형성하고, 더 나은 결과를 이끌어내게 됩니다. 이러한 노력을 통해 우리는 더 나은 삶을 살아갑니다.

병을 고치려면 의사에게 몸을 맡겨라

"듣건대 편작이 질병을 치료할 때에는 칼로 뼈를 찔렀고, 성인이 위태로운 나라를 구할 때에는 충성스런 말로써 (군주의) 귀를 거슬렀다고 한다." 《한비자, 안위편》

불편한 진실을 직면하기

성인(聖人)이 위태로운 나라를 구할 때, 충성스런 말로 군주의 귀를 거슬러야 했다는 한비자의 이야기는 불편한 진실을 직면하는 것이 중요함을 보여줍니다. 우리는 종종 불편한 진실을 피하려 하지만, 이는 문제를 악화시키고 더 큰 위기를 초래할 수 있습니다. 불편한 진실을 직면하고 받아들이는 용기가 필요합니다.

불편한 진실을 직면하는 것은 약점을 인정하고 개선하기 위한 첫 걸음입니다. 직장에서의 성과가 기대에 미치지 못할 때, 원인을 솔직히 분석하고 개선 방안을 찾아야 합니다. 이는 약점을 보완하고 더 나은 성과를 이루는 데 중요한 역할을 합니다.

또한, 불편한 진실을 직면하는 것은 인간관계를 개선하는 데도 도움이 됩니다. 우리는 타인의 비판을 겸허히 받아들이고, 이를 통해 자신의 행동을 반성하고 개선합니다. 이는 신뢰와 존중을 바탕으로 한 건강한 인간관계를 형성하는 데 중요한 요소입니다.

고통을 통해 성장하기

조언이 귀에 거슬리고 아플지라도, 이를 받아들이는 것은 성장을 위한 중요한 과정입니다. 편작이 질병을 치료할 때 과감한 처치를 해야 했듯이, 우리는 고통을 통해 배우고 성장할 수 있습니다. 이러한 고통은 약점을 드러내고, 이를 극복하기 위한 노력을 촉진합니다.

고통은 문제 해결 능력을 강화합니다. 우리는 어려운 상황에 직면할 때, 이를 해결하기 위한 다양한 방법을 모색하고 실행할 수 있어야 합니다. 이는 창의력과 문제 해결 능력을 향상시키며, 더 나은 성과를 이루는 데 중요한 역할을 합니다.

또한, 고통은 내면을 강화합니다. 어려운 상황을 극복하면서 더 강한 정신력과 의지를 가지게 됩니다. 이는 우리를 더욱 성숙하고 자신감 있는 사람으로 만들어줍니다. 고통을 통해 성장하는 과정은 인생을 풍요롭게 하고, 더 나은 자신으로 발전하는 데 중요한 역할을 합니다.

조언을 통해 성숙해지기

조언을 받아들이고 이를 통해 성숙해지는 것은 삶을 더욱 풍요롭게 만드는 데 중요한 역할을 합니다. 우리는 한계를 인식하고, 타인의 조언을 통해 이를 극복하는 노력을 기울여야 합니다. 이는 능력을 향상시키고 더 나은 삶을 살아가는 데 중요한 요소입니다.

조언을 통해 성숙해지기 위해서는 열린 마음과 겸손한 자세가 필요합니다. 우리는 경험과 지식에만 의존하지 않고, 타인의 지혜를 수용하는 자세를 가져야 합니다. 새로운 기술이나 지식을 습득하기 위해 전문가의 조언을 듣고 이를 실천하는 노력이 필요합니다.

또한, 조언을 통해 성숙해지는 것은 인간관계를 강화합

니다. 우리는 타인의 의견을 존중하고, 이를 바탕으로 행동을 개선합니다. 이는 신뢰와 존중을 바탕으로 한 건강한 인간관계를 형성하는 데 중요한 요소입니다.

결론

한비자는, 조언이 귀에 거슬리더라도 이를 피하지 않고 받아들여야 한다는 점을 잘 보여줍니다. 불편한 진실을 직면하고, 고통을 통해 성장하며, 조언을 통해 성숙해지는 자세를 통해 우리는 더 나은 삶을 살아갑니다. 이는 삶을 더욱 풍요롭게 만들고, 더 나은 결과를 이끌어내는 데 중요한 역할을 합니다.

좀벌레로 나무가 쓰러지지 않는다

•
•
•

"나무가 부러지는 것은 반드시 좀벌레를 통해서이고, 담장이 무너지는 것은 반드시 틈을 통해서다. 비록 나무에 좀벌레가 먹었다 하더라도 강한 바람이 불지 않으면 부러지지 않을 것이고, 벽에 틈이 생겼다 하더라도 큰 비가 내리지 않으면 무너지지 않는다."《한비자, 망장편》

징조를 인식하는 능력

우리가 직면하는 많은 문제들은 초기 단계에서 미리 징조를 보입니다. 나무가 부러지기 전에 좀벌레가 나무를 갉아먹듯이, 큰 문제도 작은 징조로 시작됩니다. 징조를 인식하는 능력은 문제를 미리 파악하고 대비하는 데 필수적입니다.

징조를 인식하기 위해서는 관찰력과 경청이 중요합니다.

일상 생활에서 작은 변화를 주의 깊게 살펴보고, 이를 통해 문제의 징조를 파악해야 합니다. 직장에서 동료 간의 갈등이 초기 단계에서 발생하는 징조를 놓치지 않고 이를 해결하려는 노력이 필요합니다. 또한, 징조를 인식하기 위해서는 열린 마음과 유연한 사고방식이 필요합니다. 다양한 관점에서 상황을 바라보아야 문제의 징조를 더 잘 인식하고, 적절한 대처 방안을 마련할 수 있습니다.

미리 대비하는 중요성

징조를 인식했다면, 그 다음 단계는 미리 대비하는 것입니다. 나무가 좀벌레에 의해 약해졌다는 것을 알았다면, 강한 바람이 불기 전에 나무를 치료하거나 지지대를 세우는 등의 대비가 필요합니다. 이는 문제를 예방하고, 더 큰 피해를 막는 데 중요한 역할을 합니다.

미리 대비하기 위해서는 계획성과 실행력이 필요합니다. 문제의 징조를 파악한 후, 이를 해결하기 위한 구체적인 계획을 세우고 실행해야 합니다. 재정적으로 어려운 상황이 예상된다면, 비용 절감과 수익 증대를 위한 구체적인 계획을 세우고 실행하는 것이 필요합니다. 미리 대비함으로써 위기를 기회로 바꿀 수 있습니다. 또한, 미리 대비하는 것은 우리의 삶을 더욱 안정적으로 만듭니다. 예상치 못한 문제에 대비해 준비해 둠으로써, 실제 문제가 발생했을 때 당황하지 않고 적절히 대응할 수 있습니다.

지속적인 자기 점검과 개선

징조를 인식하고 미리 대비하는 것만으로는 충분하지 않습니다. 우리는 지속적으로 자기 점검과 개선을 통해 문제를 예방하고, 더 나은 방향으로 나아가야 합니다. 이는 우리 자신과 우리의 환경을 지속적으로 점검하고, 개선해 나가는 노력을 의미합니다.

지속적인 자기 점검은 우리의 강점과 약점을 파악하고, 이를 보완하기 위한 노력을 기울이는 것입니다. 건강을 유지하기 위해 정기적으로 건강 상태를 점검하고, 필요한 경우 생활 습관을 개선하는 노력이 필요합니다. 또한, 지속적인 개선은 목표를 달성하기 위한 필수 요소입니다. 목표를 설정하고, 그 목표를 달성하기 위해 필요한 단계를 지속적으로 개선해 나가야 합니다. 직장에서의 성과를 높이기 위해 지속적으로 업무 방식을 개선하고, 새로운 기술을 습득하는 노력이 필요합니다.

결론

한비자는 사소한 징조를 무시하지 않고 미리 대비하는 것이 얼마나 중요한지를 잘 보여줍니다. 우리는 징조를 인식하고, 미리 대비하며, 지속적인 자기 점검과 개선을 통해 더 나은 삶을 살아갈 수 있습니다. 이러한 노력을 통해 더 나은 자신과 사회를 만들어 나가게 됩니다. 징조를 인식하고 미리 대비하며, 지속적으로 개선해 나가는 자세를 통해 우리는 진정한 행복과 성취를 이루게 됩니다.

작은 생선을 자주 뒤집지 말라

•
•
•

“그러므로 말하길, 큰 나라를 다스리는 것은 작은 생선을 삶는 것과 같다. 큰 나라란 신중히 다스리는 것이다. 신중하면 실수가 없고, 실수가 없으면 위태롭지 않다.” 《한비자, 해로편》

안정의 중요성

안정은 개인과 조직 모두에게 중요한 요소입니다. 잦은 변화는 혼란을 초래하고, 지속 가능한 발전을 방해합니다. 한비자가 작은 생선을 자주 뒤집지 말라는 비유는 자주 변화를 시도할 때 발생할 수 있는 문제를 잘 설명합니다. 잦은 변화는 우리의 계획이나 목표를 흔들리게 합니다.

안정은 우리의 정신적, 정서적 건강에도 중요한 역할을 합니다. 잦은 변화는 스트레스를 증가시키고 불안감을 유발합니다. 우리는 안정된 환경에서 더 잘 집중하고, 효과적으로 일합니다. 직장에서 자주 정책이 바뀌면 직원들은 혼란스러워하고, 업무 효율성이 떨어질 수 있습니다. 반면, 안정된 환경에서는 직원들이 자신의 역할에 충실히 임할 수 있으며, 조직의 목표를 효과적으로 달성합니다.

안정은 장기적인 계획을 세우고 이를 실행하는 데 중요합니다. 우리는 안정된 환경에서 장기적인 목표를 설정하고, 이를 달성하기 위한 구체적인 계획을 세웁니다. 이는 개인적인 성취뿐만 아니라, 조직의 발전에도 큰 도움이 됩니다.

변화를 신중하게 고려하기

변화는 필요할 때 신중하게 고려해야 합니다. 변화를 시도하기 전에 그 변화가 정말 필요한지, 긍정적인 효과와 부정적인 효과를 모두 고려해야 합니다. 작은 생선을 자주 뒤집지 말라는 비유는 변화를 신중하게 고려하고, 필요할 때만 변화를 시도하라는 교훈을 줍니다.

변화를 신중하게 고려하기 위해서는 현재 상황을 철저히 분석해야 합니다. 현재 상황에서 어떤 문제점이 있는지, 그 문제점을 해결하기 위해 어떤 변화가 필요한지를 파악해야 합니다. 조직에서 문제가 발생했을 때 그 문제의 원인을 정확히 파악하고, 그에 맞는 해결책을 찾아야 합니다. 무작정 변화를 시도하는 것은 더 큰 문제를 초래할 수 있습니다. 변화를 시도하기 전에 그 변화가 가져올 결과를 예측하고, 대비책을 마련해야 합니다. 변화를 시도할 때는 항상 예상치 못한 결과가 발생할 수 있으므로, 그에 대비해 유연하게 대처할 계획을 세워야 합니다.

지속 가능한 발전을 위한 전략

지속 가능한 발전을 위해서는 안정과 변화의 균형을 유지하는 것이 중요합니다. 우리는 필요할 때 변화를 시도하되, 그 변화가 지속 가능한 발전을 이루는 데 도움이 되는지 신중히 고려해야 합니다.

지속 가능한 발전을 위한 첫 번째 전략은 장기적인 목표를 설정하고, 그 목표를 달성하기 위한 구체적인 계획을 세우는 것입니다. 우리는 장기적인 목표를 설정하고, 그 목표를 달성하기 위해 필요한 단계를 하나씩 밟아 나가야 합니다. 두 번째 전략은 변화를 시도할 때 그 변화가 조직이나 개인의 장기적인 목표에 부합하는지 확인합니다. 우리는 변화를 시도할 때 그 변화가 우리의 장기적인 목표를 달성하는 데 도움이 되는지 신중히 고려해야 합니다.

결론

한비자는 자주 변화를 시도할 때 그 변화가 오히려 더 큰 손실을 초래할 수 있음을 알려줍니다. 우리는 안정의 중요성을 이해하고, 변화를 신중하게 고려하며, 지속 가능한 발전을 위한 전략을 세워야 합니다. 안정과 변화의 균형을 유지하고, 지속 가능한 발전을 이루는 것은 우리의 삶을 더욱 풍요롭게 만들고, 더 나은 결과를 이끌어내는 데 중요한 역할을 합니다.

용도 구름이 있어야 날아 다닌다

●
●
●

"비룡은 구름을 타고 날아다니며, 하늘로 올라가는 뱀은 안개 속에서 노닌다. 그러나 구름이 물러가고 안개가 걷혀 날이 맑아지면 용이나 뱀도 하찮은 지렁이나 개미와 다를 바가 없어진다. 왜냐하면 그들이 타고 다니며 노닐어야 할 구름과 안개라는 무기를 잃었기 때문이다. 현명한 사람이 어리석은 자에게 굴복하는 경우도 역시 이와 같다."《한비자, 난세편》

권세의 중요성

권세는 단순히 지위나 직함을 넘어, 실제로 사람들에게 영향을 미치고 그들의 행동을 변화시키는 힘입니다. 한비자가 용이 구름을 타고 날아다니는 것처럼, 권세는 우리를 더 강하게 만들고 높은 위치로 올려주는 중요한 요소입니다. 권세가 없으면 높은 지위나 명성도 무의미해집니다.

권세는 우리의 존재 가치를 높이는 데 중요한 역할을 합니다. 높은 지위에 있어도 영향력을 미치지 못하면 그 지위는 의미가 없습니다. 반면, 지위가 낮아도 권세를 가진 사람은 조직 내에서 강력한 영향력을 발휘합니다. 권세는 외부의 위협이나 변화에 더 잘 대처하며, 우리의 정신적, 정서적 안정에도 긍정적인 영향을 미칩니다.

권세를 확보하는 방법

권세를 확보하기 위해서는 신뢰와 존경을 얻는 것이 첫 번째입니다. 사람들은 신뢰할 수 있고 존경할 만한 사람에게 따르게 됩니다. 정직하고 공정하게 행동하여 사람들의 신뢰와 존경을 얻어야 합니다. 약속을 지키고 공정하게 문제를 해결하는 것은 신뢰를 쌓는 데 중요한 역할을 합니다.

두 번째는 영향력을 확대하는 것입니다. 우리의 생각과 의견을 효과적으로 전달하고 사람들에게 긍정적인 영향을 미치는 능력을 길러야 합니다. 의사소통 능력과 설득력을 포함하여 중요한 회의에서 우리의 의견을 명확하게 전달하고 다른 사람들을 설득하는 능력이 필요합니다.

세 번째는 지속적인 자기계발과 학습입니다. 끊임없이 새로운 지식을 습득하고 자신의 능력을 발전시키는 노력이 필요합니다. 새로운 기술이나 지식을 배우고 이를 실무에 적용하는 것은 우리의 권세를 강화하는 중요한 요소입니다.

권세를 통한 성과 달성

권세를 통해 우리는 더 나은 성과를 달성합니다. 이는 우리의 목표를 효과적으로 이루고 더 나은 결과를 이끌어내는 데 중요한 역할을 합니다. 권세를 가진 사람은 사람들을 동기부여하고 자발적으로 목표를 달성하도록 유도합니다.

첫 번째 단계는 명확한 목표 설정입니다. 목표를 명확하게 설정하고 이를 달성하기 위한 구체적인 계획을 세워야 합니다. 권세를 발휘하여 사람들을 동기부여하고 목표를 달성하도록 이끄는 데 중요한 역할을 합니다. 두 번째 단계는 사람들과의 협력입니다. 권세를 통해 사람들과 협력하여 더 나은 성과를 이끌어내야 합니다. 팀워크와 상호 신뢰를 바탕으로 한 협력이 필요합니다. 세 번째 단계는 지속적인 평가와 피드백입니다. 성과를 지속적으로 평가하고 피드백을 제공하여 더 나은 결과를 이끌어내야 합니다. 이는 권세를 강화하고 더 나은 성과를 달성하는 데 중요한 역할을 합니다.

결론

한비자의 비유는 지위보다 권세를 확보하는 것이 중요하다는 점을 잘 보여줍니다. 우리는 신뢰와 존경을 얻고, 영향력을 확대하며, 지속적인 자기계발을 통해 권세를 확보해야 합니다. 이를 통해 더 나은 성과를 달성하고 더 나은 자신과 사회를 만들어 나갑니다. 권세를 확보하는 것은 삶을 더욱 풍요롭게 만들고 더 나은 결과를 이끌어내는 데 중요한 역할을 합니다.

키 작은 나무도 산 위라면 멀리 본다

●
●
●

“한 자밖에 안 되는 나무라도 높은 산 위에 서 있으면 천 길의 계곡을 내려다보게 되는데, 그것은 나무가 길기 때문이 아니라 나무가 서 있는 위치가 높기 때문이다. (…) 그래서 작은 것이 높은 곳에 자리잡고 내려다보는 것은 위치 때문이고, 어리석은 자가 현명한 자를 제어할 수 있는 것은 권세 때문이다.” 《한비자, 공명편》

위치의 중요성

우리가 어디에 서 있느냐는 우리의 시야와 영향을 크게 좌우합니다. 작은 나무라도 높은 산 위에 서 있으면 넓은 시야를 확보할 수 있습니다. 이는 환경에 따라 우리의 능력과 잠재력이 크게 달라질 수 있음을 시사합니다. 높은 위치에 서기 위해 우리는 더 나은 위치와 환경을 찾아야 합니다.

위치는 물리적 의미뿐만 아니라, 사회적, 경제적 위치도 포함됩니다. 직장과 인간관계에 따라 우리의 영향력과 성취도 달라집니다. 전문적인 네트워크에 속해 있으면 더 많은 기회와 자원을 활용합니다. 이는 더 높은 목표를 달성하는 데 중요한 역할을 합니다.

위치는 우리의 시야를 넓히는 데도 중요합니다. 높은 위치에서 전체 상황을 파악하고, 더 나은 결정을 내리게 됩니다. 개인적 목표를 달성하고 조직이나 사회에 긍정적인 영향을 미치기 위해 우리는 지속적으로 자신을 발전시키고 더 나은 위치를 찾아야 합니다.

지혜와 경험을 활용하기

높은 위치에 서기 위해서는 자신의 지혜와 경험을 활용하는 것이 중요합니다. 자신의 경험을 통해 배운 교훈을 적용하여 더 나은 결정을 내릴 수 있습니다. 또한, 다른 사람들의 지혜를 빌려 자신의 시야를 넓히는 것도 중요합니다.

첫 번째 단계는 자신의 경험을 반성하고, 이를 통해 배운 교훈을 인식하는 것입니다. 자신의 성공과 실패를 분석하고 이를 바탕으로 더 나은 결정을 내리는 것이 중요합니다. 과거의 프로젝트에서 얻은 교훈을 바탕으로 새로운 프로젝트를 계획하고 실행하는 것이 필요합니다.

다른 사람들의 지혜를 빌리는 것도 우리의 시야를 넓히는 데 도움이 됩니다. 멘토나 전문가의 조언을 듣고, 그들의 경험을 통해 더 나은 결정을 내릴 수 있습니다. 직장에서의 어려움을 해결하기 위해 경험 많은 동료나 상사의 조언을 구하는 것이 효과적입니다.

타인의 지혜를 활용하는 능력

타인의 지혜를 활용하는 능력은 우리의 시야를 넓히고 더 높은 위치에서 멀리 볼 수 있게 합니다. 독서와 글쓰기를 통해 다양한 관점과 지혜를 습득할 수 있습니다. 이는 우리의 사고방식을 확장하고 더 나은 결정을 내리는 데 중요한 역할을 합니다.

독서는 타인의 지혜를 습득하는 가장 효과적인 방법 중 하나입니다. 다양한 책을 통해 다른 사람들의 경험과 지식을 배웁니다. 리더십에 관한 책을 읽음으로써 더 나은 리더가 되는 방법을 배웁니다.

글쓰기는 우리의 생각을 정리하고 타인의 지혜를 활용하는 또 다른 방법입니다. 글쓰기를 통해 자신의 경험과 배움을 기록하고, 이를 통해 새로운 통찰을 얻게 됩니다. 또한, 글쓰기를 통해 다른 사람들과 지혜를 공유하고, 그들의 피드백을 통해 더 나은 결정을 내립니다.

결론

한비자의 비유는 우리가 높은 위치에 서서 멀리 보는 것이 중요하다는 점을 잘 보여줍니다. 우리는 위치의 중요성을 인식하고, 자신의 지혜와 경험을 활용하며, 타인의 지혜를 활용하는 능력을 길러 더 높은 목표를 달성할 수 있습니다. 이를 통해 더 나은 성과를 달성하고, 더 나은 자신과 사회를 만들어 나아갑니다. 높은 위치에 서서 멀리 보는 것은 우리의 삶을 더욱 풍요롭게 하고, 더 나은 결과를 이끌어내는 데 중요한 역할을 합니다.

가시나무를 심으면 결국 가시에 찔린다

•
•
•

"무릇 귤나무를 심은 자는 그것을 맛있게 먹고 향긋한 냄새를 맡을 수 있지만, 가시나무를 심은 자는 그것이 그것이 성장하면 찔리게 된다."《한비자, 외저설 좌하편》

올바른 선택의 중요성

삶에서 올바른 선택을 하는 것은 매우 중요합니다. 귤나무를 심는 사람은 맛있는 열매와 향긋한 냄새를 기대할 수 있지만, 가시나무를 심는 사람은 가시에 찔리게 됩니다. 이는 우리가 매일 선택하는 작은 결정들이 결국 우리의 삶에 큰 영향을 미친다는 것을 의미합니다.

올바른 선택을 하기 위해서는 먼저 우리의 목표와 가치를 명확히 해야 합니다. 무엇이 우리에게 진정으로 중요한지를 알고, 그에 따라 선택해야 합니다. 건강을 중요하게 생각하는 사람은 균형 잡힌 식사와 규칙적인 운동을 선택합니다. 이는 장기적으로 건강한 삶을 유지하는 데 도움이 됩니다.

또한, 우리는 선택의 결과를 예측하고 그에 따른 책임을 져야 합니다. 어떤 선택이 우리에게 긍정적인 결과를 가져올지, 그리고 그 선택이 다른 사람들에게 어떤 영향을 미칠지를 고려해야 합니다. 직장에서 중요한 결정을 내릴 때는 그 결정이 팀과 회사 전체에 미칠 영향을 신중하게 고려해야 합니다. 이는 우리의 선택이 더 나은 결과를 가져오도록 돕습니다.

지속적인 노력과 관리

심은 것을 잘 가꾸기 위해서는 지속적인 노력과 관리가 필요합니다. 귤나무를 심은 후에도 정성껏 돌보아야 맛있는 열매를 맺을 수 있습니다. 반면, 가시나무를 심고 방치하면 결국 가시에 찔리게 될 것입니다. 이는 우리가 무엇을 선택하든, 그것을 지속해서 관리하고 발전시키는 노력이 중요함을 시사합니다.

지속적인 노력과 관리는 우리의 목표를 달성하는 데 중

요한 역할을 합니다. 우리는 자신이 선택한 길을 꾸준히 걸어가고, 그 과정에서 발생하는 문제들을 해결해야 합니다.

또한, 우리는 변화하는 환경에 유연하게 대응해야 합니다. 세상은 끊임없이 변화하며, 우리는 그 변화에 맞추어 자신의 선택을 조정하고 발전시켜야 합니다. 새로운 기술이 등장하면 이를 배우고 적용하여 자신의 역량을 강화해야 합니다. 이는 우리의 지속적인 성장을 돕고, 더 나은 미래를 만들어 줍니다.

결과에 대한 책임

심은 대로 거두는 삶의 원리는 우리가 자신의 선택과 행동에 대한 책임을 져야 한다는 것을 의미합니다. 귤나무를 심고 열심히 가꾼 사람은 맛있는 열매를 즐길 수 있지만, 가시나무를 심고 방치한 사람은 가시에 찔리는 결과를 감수해야 합니다. 이는 우리가 자신의 행동에 대한 결과를 받아들이고 책임지는 자세를 가져야 함을 시사합니다.

결과에 대한 책임을 지는 것은 우리의 성숙과 성장에 중요한 역할을 합니다. 우리는 자신의 선택과 행동이 가져온 결과를 인정하고, 그 결과에 대한 책임을 지는 법을 배워야 합니다. 이는 우리의 신뢰성과 성실성을 높이고, 다른 사람들과의 관계에서도 긍정적인 영향을 미칩니다.

또한, 결과에 대한 책임을 지는 것은 문제 해결 능력을 향상시킵니다. 우리는 잘못된 선택으로 인해 발생한 문제를 해결하기 위해 노력해야 합니다. 잘못된 투자 결정을 내렸다면 그 손실을 최소화하기 위한 대책을 세워야 합니다.

결론

한비자의 비유는 우리가 무엇을 심고 어떻게 가꾸느냐에 따라 결과가 달라진다는 중요한 교훈을 제공합니다. 우리는 올바른 선택을 하고, 그 선택을 꾸준히 관리하며, 그 결과에 대한 책임을 지는 자세를 가져야 합니다. 이를 통해 우리는 더 나은 성과를 달성하고, 더 나은 자신과 사회를 만들어 나갑니다. 심은 대로 거두는 삶의 원리를 이해하고 실천하는 것은 우리의 삶을 더욱 풍요롭게 만들고, 더 나은 결과를 이끌어내는 데 중요한 역할을 합니다.

좌절하지 말라, 난관을 돌파하라

•
•
•

"견고한 수레와 좋은 말이 있으면 험한 고갯길도 어렵지 않게 넘을 수 있다. 안전한 배에 올라 편리한 노를 저으면 넓은 강물이 막아서도 무난히 헤쳐 나갈 수 있다. 법술로 나라를 다스리는 방법을 응용하고 엄형을 실행하면 능히 패왕의 공업을 이룰 수 있다."《한비자, 간겁시신편》

준비와 도구의 중요성

어떤 난관도 준비와 적절한 도구가 있다면 극복할 수 있습니다. 한비자가 말한 견고한 수레와 좋은 말, 안전한 배와 편리한 노는 모두 적절한 준비와 도구의 중요성을 상징합니다. 우리는 목표를 달성하기 위해 철저한 준비와 필요한 도구를 갖춰야 합니다.

준비는 자신감을 높이고 예상치 못한 상황에 대처할 수 있는 능력을 제공합니다. 중요한 프로젝트를 시작하기 전에 충분한 자료 조사와 계획 수립을 통해 성공 가능성을 높일 수 있습니다. 이는 직면하는 문제를 미리 예측하고 해결책을 마련하는 데 도움이 됩니다.

또한, 적절한 도구는 일을 더욱 효율적으로 만듭니다. 현대 사회에서는 기술과 도구가 생산성을 크게 향상시킵니다. 새로운 소프트웨어 도구를 활용해 업무 효율을 높이는 것은 중요한 전략입니다. 이는 더 나은 결과를 얻고 더 큰 성취를 이루는 데 기여합니다.

끈기와 인내의 가치

난관을 극복하는 데 있어서 끈기와 인내는 필수입니다. 우리는 어려움에 직면할 때 쉽게 좌절할 수 있지만, 끈기와 인내를 통해 더 큰 성취를 이룹니다. 한비자의 말에서 볼 수 있듯이, 험한 고갯길이나 넓은 강물을 넘기 위해서는 꾸준한 노력이 필요합니다.

끈기는 목표를 포기하지 않고 지속하게 만듭니다. 새로운 기술을 배우는 과정에서 초기의 어려움에 좌절하지 않고 꾸준히 연습하고 노력하면 결국 그 기술을 숙달할 수 있습니다. 이는 다양한 도전을 극복하는 데 중요한 요소입니다.

인내는 성과를 꾸준히 유지하게 합니다. 우리는 단기적인 성과에 만족하지 않고, 장기적인 목표를 위해 꾸준히 노력해야 합니다. 체력 단련이나 건강한 식습관을 유지하는 것은 시간이 걸리지만, 꾸준히 노력하면 큰 변화를 이끌어냅니다.

전략과 융통성의 중요성

난관을 돌파하기 위해서는 적절한 전략과 융통성이 필요합니다. 한비자가 언급한 법술로 나라를 다스리는 방법과 엄형의 실행은 문제 해결을 위한 전략과 융통성의 중요성을 보여줍니다. 우리는 고정된 방식만을 고집하지 않고, 상황에 맞게 전략을 조정할 수 있어야 합니다.

적절한 전략은 목표를 달성하기 위한 명확한 계획을 제공합니다. 이는 자원을 효율적으로 사용하고, 목표를 향해 나아가는 데 필요한 지침을 제공합니다. 사업 운영에 있어서 시장 분석과 경쟁사 분석을 통해 전략을 수립하는 것은 성공적인 사업 운영에 필수입니다.

융통성은 전략을 상황에 맞게 조정할 수 있는 능력을

제공합니다. 예상치 못한 상황에 직면했을 때, 기존의 전략을 수정하고 새로운 접근 방식을 모색할 수 있습니다. 시장 상황이 급변할 때 빠르게 대응하고 전략을 조정하는 것은 중요한 경쟁력입니다.

결론

한비자의 말은 준비와 도구의 중요성을 인식하고, 끈기와 인내를 통해 꾸준히 노력하며, 적절한 전략과 융통성을 통해 난관을 돌파해야 합니다. 이를 통해 더 나은 성과를 달성하고, 더 나은 자신과 사회를 만들어 나갈 수 있습니다. 좌절하지 않고 난관을 돌파하는 자세를 통해 진정한 행복과 성취를 이뤄냅니다.

다른 사람이 지혜를 발휘하게 하라

"한 사람의 힘으로는 여러 사람의 힘을 대적할 수 없고, 한 사람의 지혜로는 만물의 이치를 다 알 수 없다. 군주 한 사람의 힘과 지혜로 나라를 다스리는 것은 온 나라 사람의 힘과 지혜를 이용하는 것만 못하다. (…) 하군(下君)은 오직 본인 한 사람의 지혜와 힘을 모두 소진하고, 중군(中君)은 사람들로 하여금 자신의 힘을 모두 발휘하게 하고, 상군(上君)은 사람들로 하여금 자신의 지혜를 모두 발휘하게 한다." 《한비자, 팔경편》

하군의 한계

하군(下君), 즉 낮은 단계의 리더는 본인의 지혜와 힘에 의존하는 유형의 지도자를 의미합니다. 이는 개인의 능력에 의존하여 조직 전체의 잠재력을 발휘하지 못하게 하며, 결국 지치고 고립됩니다. 하군의 한계는 우리가 일상과 직장에서 자주 경험하는 문제입니다. 모든 결정을 혼자 내리고 모든 일을 직접 처리하려는 리더는 팀의 역량을 충분히 활용하지 못하고, 이는 조직의 성장을 저해하며, 구성원들의 참여와 동기 부여를 떨어뜨립니다. 또한, 개인의 스트레스와 번아웃을 초래합니다. 이러한 한계를 극복하려면, 자신의 능력을 신뢰하는 동시에 타인의 지혜와 힘을 인정하고 활용해야 합니다. 권한을 위임하고 팀원들에게 자신감을 심어주는 것이 중요합니다.

중군의 역할

중군(中君), 즉 중간 단계의 리더는 구성원들의 힘을 최대한 발휘하게 하는 지도자를 의미합니다. 이는 하군보다 진일보한 접근이지만, 여전히 완전하지 않습니다. 중군은 구성원들의 물리적 힘을 활용하는 데 초점을 맞추지만, 그들의 지혜와 창의성을 충분히 발휘하게 하지 못합니다. 중군의 역할은 목표를 달성하는 데 중요한 단계입니다. 프로젝트를 진행할 때 팀원들의 전문성과 능력을 최대한 활용하여 업무를 분담하고 협력하는 것은 매우 중요합니다. 이는 팀의 효율성을 높이고, 구성원들이 자신의 역할에 충실히 임하도록 돕습니다. 그러나 구성원들의 지혜와 창의성을 충분히 발휘하지 못하면, 조직은 혁신과 발전의 기회를 놓칠 수 있습니다. 따라서 중군의 역할을 넘어서서 구성원들이 지혜를 발휘할 수 있는 환경을 조성해야 합니다.

상군의 실현

상군(上君), 즉 높은 수준의 리더는 다른 사람들이 지혜를 모두 발휘하게 하는 지도자를 의미합니다. 이는 집단지성의 힘을 최대한 활용하여 조직의 잠재력을 극대화하는 접근 방식입니다. 상군이 되기 위해서는 개방적이고 포용적인 태도, 협력과 소통, 각자의 강점을 최대한 발휘할 수 있는 지원이 필요합니다. 상군은 다른 사람들의 의견을 존중하고, 그들의 아이디어를 기꺼이 받아들여야 합니다. 또한, 협력과 소통을 강화하며, 각자의 강점을 파악하고 그 강점을 최대한 발휘할 수 있는 환경을 조성해야 합니다.

결론

한비자가 언급한 "한 사람의 힘으로는 여러 사람의 힘을 대적할 수 없고, 한 사람의 지혜로는 만물의 이치를 다

알 수 없다"는 말은 집단지성의 중요성을 잘 보여줍니다. 우리는 하군과 중군의 한계를 극복하고 상군이 되어 사람들의 지혜를 최대한 활용해야 합니다. 개방적이고 포용적인 태도를 유지하며, 협력과 소통을 강화하고, 각자의 강점을 발휘할 수 있도록 지원함으로써 더 나은 성과를 달성하고, 더 나은 자신과 사회를 만들어 갑니다.